中國文化二十四品

中国文化二十四品

文博

饶宗颐 叶嘉莹 顾问
陈洪 徐兴无 主编

風土人情

民俗与故乡

杨英杰 刘筱筱 著

江苏人民出版社

图书在版编目（ＣＩＰ）数据

风土人情：民俗与故乡 / 杨英杰,刘筱筱著. --
南京：江苏人民出版社，2017.1
　（中国文化二十四品）
　ISBN 978-7-214-17390-4

　Ⅰ．①风… Ⅱ．①杨… Ⅲ．①风俗习惯史－中国
Ⅳ．①K892

中国版本图书馆CIP数据核字(2016)第048193号

书　　　　名	风土人情——民俗与故乡
著　　　者	杨英杰　刘筱筱
责 任 编 辑	张惠玲
责 任 校 对	卞清波
装 帧 设 计	刘葶葶　张大鲁
出 版 发 行	凤凰出版传媒股份有限公司
	江苏人民出版社
出版社地址	南京市湖南路 1 号 A 楼，邮编：210009
出版社网址	http://www.jspph.com
经　　　销	凤凰出版传媒股份有限公司
照　　　排	南京凯建图文制作有限公司
印　　　刷	江苏凤凰新华印务有限公司
开　　　本	652 毫米×960 毫米　1/16
印　　　张	13.75　　插页 3
字　　　数	154 千字
版　　　次	2017 年 1 月第 1 版　2017 年 3 月第 2 次印刷
标 准 书 号	ISBN 978 - 7 - 214 - 17390 - 4
定　　　价	32.00 元

（江苏人民出版社图书凡印装错误可向承印厂调换）

编委会名单

顾　问

饶宗颐

叶嘉莹

主　编

陈　洪（南开大学教授）

徐兴无（南京大学教授）

编　委

王子今（中国人民大学教授）　　司冰琳（首都师范大学副教授）

白长虹（南开大学教授）　　　　孙中堂（天津中医药大学教授）

闫广芬（天津大学教授）　　　　张伯伟（南京大学教授）

张峰屹（南开大学教授）　　　　李建珊（南开大学教授）

李翔海（北京大学教授）　　　　杨英杰（辽宁师范大学教授）

陈引驰（复旦大学教授）　　　　陈　致（香港浸会大学教授）

陈　洪（南开大学教授）　　　　周德丰（南开大学教授）

杭　间（中国美术学院教授）　　侯　杰（南开大学教授）

俞士玲（南京大学教授）　　　　赵　益（南京大学教授）

徐兴无（南京大学教授）　　　　莫砺锋（南京大学教授）

陶慕宁（南开大学教授）　　　　高永久（兰州大学教授）

黄德宽（安徽大学教授）　　　　程章灿（南京大学教授）

解玉峰（南京大学教授）

总　序

陈　洪　徐兴无

　　我们生活在文化之中,"文化"两个字是挂在嘴边上的词
语,可是真要让我们说清楚文化是什么,可能就会含糊其词、
吞吞吐吐了。这不怪我们,据说学术界也有 160 多种关于文
化的定义。定义多,不意味着人们的思想混乱,而是文化的
内涵太丰富,一言难尽。1871 年,英国文化人类学家爱德
华·泰勒的《原始文化》中给出了一个定义:"文化,或文明,
就其广泛的民族学意义上来说,是包含全部的知识、信仰、艺
术、道德、法律、风俗,以及作为社会成员的人所掌握和接受
的任何其他的才能和习惯的复合体。"①其实,所谓"文化",是
相对于所谓"自然"而言的,在中国古代的观念里,自然属于
"天",文化属于"人",只要是人类的活动及其成果,都可以归
结为文化。孔子说:"饮食男女,人之大欲存焉。"②在这种自
然欲望的驱动下,人类的活动与创造不外乎两类:生产与生
殖;目标只有两个:生存与发展。但是人的生殖与生产不再
是自然意义上的物种延续与食物摄取,人类生产出物质财富
与精神财富,不再靠天吃饭,人不仅传递、交换基因和大自然
赋予的本能,还传承、交流文化知识、智慧、情感与信仰,于是
人种的繁殖与延续也成了文化的延续。

　　所以,文化根源于人类的创造能力,文化使人类摆脱了

---

　　① 　[英]爱德华·泰勒:《原始文化》,连树声译,谢继胜、尹虎彬、姜德顺校,广
西师范大学出版社,2005 年,第 1 页。
　　② 　《礼记·礼运》。

自然,创造出一个属于自己的世界,让自己如鱼得水一样地生活于其中,每一个生长在人群中的人都是有文化的人,并且凭借我们的文化与自然界进行交换,利用自然、改变自然。

由于文化存在于永不停息的人类活动之中,所以人类的文化是丰富多彩、不断变化的。不同的文化有不同的方向、不同的特质、不同的形式。因为有这些差异,有的文化衰落了甚至消失了,有的文化自我更新了,人们甚至认为:"文化"这个术语与其说是名词,不如说是动词。① 本世纪初联合国发布的《世界文化报告》中说,随着全球化的进程和信息技术的革命,"文化再也不是以前人们所认为的是个静止不变的、封闭的、固定的集装箱。文化实际上变成了通过媒体和国际因特网在全球进行交流的跨越分界的创造。我们现在必须把文化看作一个过程,而不是一个已经完成的产品"②。

知道文化是什么之后,还要了解一下文化观,也就是人们对文化的认识与态度。文化观首先要回答下面的问题:我们的文化是从哪里来的? 不同的民族、宗教、文化共同体中的人们的看法异彩纷呈,但自古以来,人类有一个共同的信仰,那就是:文化不是我们这些平凡的人创造的。

有的认为是神赐予的,比如古希腊神话中,神的后裔普罗米修斯不仅造了人,而且教会人类认识天文地理、制造舟车、掌握文字,还给人类盗来了文明的火种。代表希伯来文化的《旧约》中,上帝用了一个星期创造世界,在第六天按照自己的样子创造了人类,并教会人们获得食物的方法,赋予人类管理世界的文化使命。

---

① 参见[荷兰]C. A. 冯·皮尔森:《文化战略》,刘利圭等译,中国社会科学出版社,1992 年,第 2 页。

② 联合国教科文组织编:《世界文化报告——文化的多样性、冲突与多元共存》,关世杰等译,北京大学出版社,2002 年,第 9 页。

有的认为是圣人创造的，这方面，中国古代文化堪称代表：火是燧人氏发现的，八卦是伏羲画的，舟车是黄帝造的，文字是仓颉造的……不过圣人创造文化不是凭空想出来的，而是受到天地万物和自我身体的启示，中国古老的《易经》里说古代圣人造物的方法是："仰则观象于天，俯则观法于地，观鸟兽之文与地之宜，近取诸身，远取诸物。"《易经》最早给出了中国的"文化"和"文明"的定义："刚柔交错，天文也。文明以止，人文也。观乎天文，以察时变；观乎人文，以化成天下。"文指文采、纹理，引申为文饰与秩序。因为有刚、柔两种力量的交会作用，宇宙摆脱了混沌无序，于是有了天文。天文焕发出的光明被人类效法取用，于是摆脱了野蛮，有了人文。圣人通过观察天文，预知自然的变化；通过观察人文，教化人类社会。《易经》还告诉我们："一阴一阳之谓道，继之者善也，成之者性也。仁者见之谓之仁，知者见之谓之知。"宇宙自然中存在、运行着"道"，其中包含着阴阳两种动力，它们就像男人和女人生育子女一样不断化生着万事万物，赋予事物种种本性，只有圣人、君子们才能受到"道"的启发，从中见仁见智，这种觉悟和意识相当于我们现代文化学理论中所谓的"文化自觉"。

为什么圣人能够这样呢？因为我们这些平凡的百姓不具备"文化自觉"的意识，身在道中却不知道。所以《易经》感慨道："百姓日用而不知，故君子之道鲜矣。"什么是"君子之道鲜"？"鲜"就是少，指的是文化不昌明，因此必须等待圣人来启蒙教化百姓。中国文化中的文化使命是由圣贤来承担的，所以孟子说，上天生育人民，让其中的"先知觉后知""先觉觉后觉"[1]。

---

[1] 《孟子·万章》。

无论文化是神灵赐予的还是圣人创造的，都是崇高神圣的，因此每个文化共同体的人们都会认同、赞美自己的文化，以自己的文化价值观看待自然、社会和自我，调节个人心灵与环境的关系，养成和谐的行为方式。

　　中国现在正处在一个喜欢谈论文化的时代。平民百姓关注茶文化、酒文化、美食文化、养生文化，说明我们希望为平凡的日常生活寻找一些价值与意义。社会、国家关注政治文化、道德文化、风俗文化、传统文化、文化传承与创新，提倡发扬优秀的传统文化，说明我们希望为国家和民族寻求精神力量与发展方向。神和圣人统治、教化天下的时代已经成为历史，只有我们这些平凡的百姓都有了"文化自觉"，认识到我们每个人都是文化的继承者和创造者，整个社会和国家才能拥有"文化自信"。

　　不过，我们越是在摆脱"百姓日用而不知"的"文化蒙昧"时代，就越是要反思我们的"文化自觉"，因为"文化自觉"是很难达到的境界。喜欢谈论文化，懂点文化，或者有了"文化意识"就能有"文化自觉"吗？答案是否定的。比如我们常常表现出"文化自大"或者"文化自卑"两种文化意识，为什么会这样呢？因为我们不可能生活在单一不变的文化之中，从古到今，中国文化不断地与其他文化邂逅、对话、冲突、融合；我们生活在其中的中国文化不仅不再是古代的文化，而且不停地在变革着。此时我们或者会受到自身文化的局限，或者会受到其他文化的左右，产生错误的文化意识。子在川上曰："逝者如斯夫。"流水如此，文化也如此。对于中国文化的主流和脉络，我们不仅要有"春江水暖鸭先知"一般的亲切体会和细微察觉，还要像孔子那样站在岸上观察，用人类历史长河的时间坐标和全球多元文化的空间坐标定位中国文化，才能获得超越的眼光和客观真实的知识，增强与其他文化交

流、借鉴、融合的能力,增强变革、创新自己的文化的能力,这也叫做"文化自主"的能力。中国当代社会人类学家费孝通先生说:

> "文化自觉"是当今时代的要求,它指的是生活在一定文化中的人对其文化有自知之明,并对其发展历程和未来有充分的认识。也许可以说,文化自觉就是在全球范围内提倡"和而不同"的文化观的一种具体体现。希望中国文化在对全球化潮流的回应中能够继往开来,大有作为。①

因为要具备"文化自觉"的意识、树立"文化自信"的心态、增强"文化自主"的能力,所以,我们这些平凡的百姓需要不断地了解自己的文化,进而了解他人的文化。

中国文化是我们自己的文化,它博大精深,但也不是不得其门而入。为此,我们这些学人们集合到一起,共同编写了这套有关中国文化的通识丛书,向读者介绍中国文化的发展历程、特征、物质成就、制度文明和精神文明等主要知识,在介绍的同时,帮助读者选读一些有关中国文化的经典资料。在这里我们特别感谢饶宗颐和叶嘉莹两位大师前辈的指导与支持,他们还担任了本丛书的顾问。

中国文化崇尚"天人合一",中国人写书也有"究天人之际,通古今之变"的理想,甚至将书中的内容按照宇宙的秩序罗列,比如中国古代的《周礼》设计国家制度,按照时空秩序分为"天地春夏秋冬"六大官僚系统;吕不韦编写《吕氏春

---

① 费孝通:《经济全球化和中国"三级两跳"中的文化思考》,《光明日报》2000年11月7日。

秋》,按照一年十二月为序,编为《十二纪》;唐代司空图写作《诗品》品评中国的诗歌风格,又称《二十四诗品》,因为一年有二十四个节气。我们这套丛书,虽不能穷尽中国文化的内容,但希望能体现中国文化的趣味,于是借用了"二十四品"的雅号,奉献一组中国文化的小品,相信读者一定能够以小知大,由浅入深,如古人所说:"尝一脔肉,而知一镬之味,一鼎之调。"

2015 年 7 月

目 录

绪　言

何谓风俗？风者，流行之貌；俗者，习惯之事也。《风俗通义·序》云："百里不同风，千里不同俗。"任何风俗习惯都是流行在一定的地域内。人们的生活习惯是由不同的自然环境和社会环境造成的，因此任何风俗习惯都有其地域性和时代性。人们通常把风俗与民俗混而为一，实际上两者还是有区别的。风俗是流行在同一时代、同一地区所有人的共同生活习惯，既包括下层民众的生活习惯，也包括上层社会贵族官僚及富人们的生活习惯。下层民众与上层贵族因为都生活在同一时代、同一地区，所以有共同的生活习俗。如生活在北方的人们，冬天都有穿防寒衣服的风俗。但穷苦民众穿麻褐，贵族则穿皮裘。《诗经·豳风》："无衣无褐，何以卒岁？"这里说的是民俗。《诗经·召南》："羔羊之皮，素丝五纪。"这是贵族之俗。民俗是流行在民间的生活习惯。风俗贵贱有别，这是风俗的阶级性。民众的习俗和贵族的习俗，虽有不同，但因生活在同一自然环境和同一社会制度下，所以两者在许多方面又是相通共同的，这是风俗的社会性。民者，国之本也。因此，风俗的主流是民俗。本书所说的俗，主要是指以民俗为主流也包括上层贵族生活习俗在内的社会风俗。

与风俗相关的还有礼俗。礼俗即礼仪风俗。什么是礼仪呢？简而言之，礼是体现等级尊卑的制度，仪是通过语言、动作等表达礼的外在表现形式。在我国古代，许多礼来源于民俗，

1

在阶级社会中,有些民俗被统治阶级加以改造,使之固定化、程式化、权威化、神秘化,成为体现等级尊卑的行为规范,称之为礼。有些礼是国家下令行之于民,久之成为民众最为普遍的生活方式,即成为俗。民间的许多风俗是由国家主导的,一些风俗也是被国家取缔的。风俗不但是随着自然环境的变化而变化,同时也随着社会环境的变化而变迁。风俗既是相对稳定世代传承的,又是因时因势而变化的。

风俗是传统文化的重要组成部分。虽然它更多表现的是生活中的琐事,是一种未经提纯的原生态的文化,野有余而文不足,但它却是民族心理、民族文化的直接体现。因此,对生活风俗的研究,就不能仅仅停留在诸多风俗事象的表层上,而必须由此及彼、由表及里、溯本求源、探求分析,揭示其产生的根源、内在的联系、变迁的轨迹、历史的影响和未来的走向。

合两性之好——婚姻风俗

什么是婚姻？婚者，昏也。在母系氏族时代，每当黄昏夜幕降临的时候，男人便去另外一个氏族会聚女友，天明复归，所以后来的婚礼也是在黄昏之后举行。姻的本义是指两性关系。姻者，因也，是两性关系的依据，即依据什么样的惯制，发生两性关系。婚姻又称为嫁娶，原始社会母系氏族公社时，男人到女家，谓之嫁，故嫁字从女从家；父系氏族公社时，女人到男家，谓之娶，故娶字从取从女，它是按惯制结合的两性关系。婚姻是人类自身繁衍发展的最基本的形式，是构成家庭、形成社会的基础。婚姻是人生的终身大事，它不仅关系到每个人和家庭的幸福与否，还关系到整个民族的兴旺和社会的稳定。因此，自古以来各个国家、各个民族都非常重视婚姻，形成了各有特色的惯制，这就是所谓的婚姻风俗。一般说来，婚俗包括婚姻形态和婚姻礼仪两个方面。

婚之初始性本乱

两性关系是婚姻的核心内容，没有性关系就谈不上什么婚姻，不同形态的性关系就构成了不同的婚姻形态。在原始社会的原始群初期，人类刚从动物中分化出来，群体中实行性的共有，在两性关系上没有任何的限制。《吕氏春秋·恃君》追述这个时期的状况时说："昔太古尝无君矣，其民聚生群处，知母不知父，无亲戚兄弟夫妻男女之别，无上下长幼之道。"在神话传说中也可以找到这种杂乱男女关系的蛛丝马迹。海南岛黎族的一则神话说，古时天地变迁，灾难陡降，人群灭绝，只剩下母子两人。天帝降旨，要他们结成夫妻，母子觉得难堪，但又不能违背天命，便改头换面，在脸上刺满花纹，然后结成夫妻。这是最古老的"性共有"以神话的形式流传下来的痕迹。在距今一百七十多万年至七八十万年间的我国云南元谋猿人、陕西蓝田猿人，他们的性关系或许就是属于这类杂乱的"性共有"。有人把它称为乱婚制或交辈婚制，都不是确切的表述。它只是一种杂乱的性行为，没有任何俗规的约束，因而根本就没有什么婚俗、婚制可言。

一、兄弟姐妹杂交的血族婚

古史传说在远古时代，华胥氏踩了巨人足印，感应受孕，生男名伏羲，后又生女叫女娲。后来遭遇大洪水，只有伏羲、女娲两兄妹躲在葫芦里得以存活下来，兄妹结为夫妻，结婚生子，延续了人类的血脉。后世在许多古代墓道和石窟的壁画中，都有伏羲与女娲交媾图，皆为人首蛇身，两尾交缠。云南纳西族东巴文《崇报图》说：天神震怒，发洪水欲灭绝人类。大水后从忍利恩五兄弟找不到其他女子相配，只好与自己的五个姐妹结为伴偶。这种兄妹结为夫妻的故事，在其他的一些民族中都有类似的传说。闻一多曾在《神话与诗·伏羲考》中收集了四十几个类似伏羲、女娲的造人神话故事。这种排斥了父母辈与子女辈的性关系，只允许同辈男女之间包括亲兄弟姐妹间的性行为，历史上称为血族婚，又叫同辈婚。它是人类历史上第一个婚姻形态，是被群体习俗所约束的性行为。在原始群的中后期，随着渔猎经济

伏羲女娲交媾图

的发展,相同年龄段的男女接触更多一些,加之年龄上的差异而造成不同的性需求,使智识稍开的原始人逐渐出现了血族婚俗。血族婚俗的遗迹在我国一些少数民族中,直到解放前后还有所保留。如云南永宁的忠克、开基等村里,一些纳西族的母系家庭中还有兄弟姐妹互为夫妻的现象。这种血族婚在称谓中也有所保留。如云南永宁纳西族把母亲和舅母(舅父的妻子和女伴)一律称为爱梅,即是说母亲曾经可以是舅父的妻子;景颇族的男子称自己的姐妹为占,称自己的妻子也为占。这说明在上古时期,兄弟姐妹是可以通婚的,这是同辈血族婚留下来的残迹。在距今五六十万年至十万年时期的我国北京人、玛坝人、长阳人、丁村人,他们的性关系或许就属于这类同辈间的血族婚。

二、知其母不知其父的族外婚

在我国古史的记载中,有所谓"圣人皆无父,感天而生"的传说。那些被称为三皇五帝的人都有一位神性的母亲,都有一段神奇的诞生经历:伏羲是他的母亲踏巨人足迹怀孕而生,神农是他的母亲感神龙怀孕而生,颛顼是他的母亲感虹光怀孕而生,黄帝是他的母亲见电光绕北斗怀孕而生,商朝的始祖契是他的母亲简狄吞玄鸟卵怀孕而生等等,不一而足。众所周知,任何人都是父精母卵结合而生,岂能无父?不是无父,而是他们的母亲男友太多,不知是谁人之种而已。这是为什么呢?原来在原始社会后期,由于生产力的发展和人口的繁衍,一些较大的原始群往往会分出许多更小的群体,后世把这样的群体称为氏族。每个氏族为了与其他氏族相区别,都有一个以其居住地或以与其相关的动植物等命名的称号,这就是最初的姓。这些血缘关系疏远或原本就没有血缘关系的群体,错落地杂居在一块彼此相邻的地域内。在采集、渔猎等生产的过程中，人们的接触越来越多，男欢女爱，发生两性关系那是最自然不过的事。同时，由于智识的进一步开化，人们经过几十万年的观察总结，逐渐认识到近血缘的性关系生出的孩子不健康。因此就有意识地排除了亲兄弟姊妹之间的性关系，继而又排除了同群体中兄弟姊妹之间的性关系。这样就使得各群体之间同辈男女之间的性关系日益普遍，逐渐形成两个或几个互相通婚的氏族集团。在这种血亲群体外的性关系下，一个群体的男人可以与另一个群体所有的同辈女人发生性关系，反之亦然。所以史家把这种婚姻形态称为族外群婚，西方学者称其为普那路亚婚。普那路亚为夏威夷语，意为亲密的性伙伴。即一个族群同胞的姊妹或血缘较远的姊妹同另一族群平辈但不是她们亲兄弟的男子，或一群同胞或血缘较远的兄弟同另一群平辈但不是他们亲姊妹的女子相互通婚。此后这些女子和男子之间互称普那路亚。这种婚姻形式不仅排除了不同辈的近亲通婚，而且也排除了同辈的近亲通婚。在这种性关系下，女人所生的子女，必然都是知其母而不知其父。他们都要留在母亲的氏族中，从母亲之姓。族外婚是男人到女人的氏族中去，往往是暮去晨归。男人还是属于自己母亲的氏族，所以这种婚姻又称为走访婚，这种走访称为嫁。嫁字的最初含义是指男人到女人之家。族外婚的普遍出现，宣告了原始群的最后瓦解，人类社会进入了母系氏族时代。在距今 10 万年至 1 万年的我国柳江人、河套人、山顶洞人等，他们的性关系就是属于族外婚。我国古代的一些古老姓氏多从女，如姚、姒、姞、姬、姜等，这表明了远古时代最初是以女方来确定氏族姓氏的。"同姓不婚"，就是氏族外婚制的产物。

古老的族外婚风俗，在现今的一些少数民族中还可以看到它的遗风。如云南的拉祜族，每到农闲季节，甲寨的男青年便到乙寨中邀其女青年,白天唱歌,晚上便点燃篝火,在一起过夜。云南的阿细人,年轻的男人女人都住在各自的公房中。晚上,甲寨的男人便来到乙寨女人的公房中过夜。这种行为不仅不会受到谴责,还会得到家人和社会的支持。

三、恋情难舍的对偶婚

在族外婚的习俗中,虽然一个氏族的男人可以与另一个氏族任何一同辈女人发生性关系,结成性伙伴,但人毕竟是有感情的动物,随着人类自身的不断进化,情感世界也在不断地丰富。在众多的性伙伴中,或因两情相悦,或因相互体贴,互爱的感情超过他人,恋情难舍,因而就经常地偶居在一起,这样就逐渐形成了较为长期稳定的性伙伴。这种比较固定的偶居,后世称之为对偶婚。对偶的一对男女不排除与其他异性发生性关系。对一个男人来说,只是在诸多女友中有一个"主要"的而已。反之对一个女人来说也是如此。对偶婚在母系氏族公社后期渐成风俗。纳西族的婚姻长期处于由母系氏族社会向父系氏族社会过渡阶段,保留着最古老的婚俗。其俗男不娶,女不嫁。女子十五六岁,男子十六七岁即为成年,就开始结交"阿柱"。阿柱即朋友,纳西语最早称为"主诺主米",即最亲密的侣伴。成年男女,通过日常接触、节日聚会、庙会等相识产生感情,即可建立阿柱关系。最初,青年男子多是悄悄走访,到约定好的地方与女子相会。如果直接到女家,常常是在夜深人静时,按事先约定好的暗号,如往房上扔石子、用小木棍轻轻敲门等,女子则轻轻地开门,将男子迎进。如果家人不反对,这个男子便可公开与女子同居,以后每至夜晚便到女家住宿,次日早晨再匆匆赶回自己的母亲家,同母亲家的成员一起劳动与生活。这种阿柱婚,有的只一两夜,有的因为感情相投,爱恋难舍,便经常偶居在一起,长达几个月、几年,有的则长达二三十年。男女双方虽然长期偶居,但双方仍然有权与第三者发生性关系,只是长期的阿柱有性的优先权。阿柱双方没有任何经济关系,生育的子女也都留在女方家中,成为女方家中的一员。对偶婚是介于群婚与一夫一妻婚之间的过渡形态。

四、剥夺女子性自由的一夫一妻婚与一夫多妻婚

一对固定性关系的男女,长期共居组成个体家庭的婚姻形态称为一夫一妻婚。一夫一妻婚是父系氏族公社时期主要的婚姻形态。

母系氏族公社的后期,在长期共居的对偶婚下,外来的男子与其对偶共同参加女子氏族的劳动,创造财富,并且确知谁是自己的子女。这样在氏族中逐渐出现了由一对长期共居的男女和他们所生的子女共同生活在一起的非独立的小家庭。由于磨制石器和弓箭的广泛使用,农耕、射猎的效率得到了提高,出现了剩余产品,后来成为私有的财产。而男子由于生理上原因,成为生产中的主力,是更多财富的创造者。但这种小家庭是依附于女方所在的母系氏族中的,是很脆弱的,很容易破裂。对男子来说,不管他在女方家里有多少子女或创造了多少财富,仍然要准备随时被赶走。而他所创造的财富,都只能由对偶的氏族全体成员所继承,他的子女只能与其他氏族成员一样,继承其中的一部分。至于男子本氏族的财产,由于他常年不在本氏族创造财富,虽然按氏族的传统习俗,他可以享有其中的一部分,但在私有观念日益发展的情况下,必然要受到其他氏族成员的白眼。解决这种矛盾的唯一办法,就是男子将对偶的女子带回到自己的氏族中。这样自己创造的财富,既可以留在本氏族内,子女又可以继承。于是以男子为主体的一夫一妻制出现了,逐渐

成为社会主流的婚姻形态,以女子为主体的母系氏族公社也就让位给以男子为主体的父系氏族公社。一夫一妻的小家成为父系大家族中的个体组成部分。当然,这种巨大的转变不是一朝一夕完成的,其间也充满了激烈的斗争。一夫一妻婚,主要是对女子而言。由于男子特别是氏族或部落的各级首领,他们不但是财富的创造者、拥有者,更是权力的执掌者,因此他们不但可以独占一个女人,还可以占有更多的女人,一夫多妻。古史传说,部落酋长黄帝有四妃十嫔。正妃为西陵氏,名嫘祖。次妃为方雷氏、彤鱼氏和嫫母,其他的十个妻子不知其名。舜也有两个妻子,即娥皇与女英。为了确保男性血统的纯粹,男子必须剥夺妻子的性自由,严厉要求妻子保持贞操,断绝与其他男子的任何性关系。她们活着从夫而居,死后与丈夫同穴而葬。这种一夫一妻制和一夫多妻制的婚姻风俗,在全国各地诸多的父系氏族文化遗址的墓葬中都有真切的反映。在山东大汶口、峄山镇野店、江苏邳州刘林等氏族墓地,共发现 26 座年龄相当的男女合葬墓,都是按男左女右的次序排列。甘肃秦魏家遗址发现 16 座男右女左的合葬墓。甘肃武威皇娘娘台遗址,还发现多座一男二女的合葬墓,男子仰卧居中,二女分列左右侧卧其旁。这显然是一夫二妻的合葬。同遗址还发现有成年男子与小孩合葬墓、一对成年男女与小孩合葬墓。这种父子合葬或父母与子女的全家合葬,只有一夫一妻制的父系血统确立之后才有可能。

婚姻有制严尊卑

　　阶级社会,无论是奴隶社会还是封建社会,都是以财产私有制为基础的社会。因此作为财产私有制产物的一夫一妻以及一夫多妻的婚姻形态自然地都被保留下来,并且在不同历史发展阶段中有所发展和变化。

一、夫为妻纲,尊卑有别

　　夫为妻纲,尊卑有别,是数千年不变的古老婚俗。何为夫为妻纲,尊卑有别?且看五千多年前大汶口文化墓葬所反映出的情景:在大汶口、野店、刘林、武威皇娘娘台等地的父系氏族遗址男女双人墓葬中,男子都是仰身直肢葬,女子侧身屈肢葬;有的是一男子仰身直肢葬,两女子都面向男子侧身屈肢葬,上肢屈于胸前,下肢向后弯屈,活现出屈辱侍奉的样子。这就是这一古老婚俗直解。因为妻子是从外氏族以财物换取或武力夺取而来的女子,因此称之为娶。这种娶来的妻子,实际上就是男子可以任意支配的财产,必须服从丈夫的意志,是丈夫的奴仆,是侍奉丈夫,为丈夫生儿育女、传宗接代的工具。妻子在丈夫面前自称奴、妾。丈夫称妻子为劣荆、糟糠。妻又称为妇。《说文解字》云:"妇,服也。从女持帚洒扫也。"妇(婦)字从女从帚,就是为丈夫持帚洒扫的女人。一夫一妻和一夫多妻的风俗从它出现的那天起,就是以丈夫压迫和奴役妻子为特征的,妻子没有自己独立的地位。《白虎通义·嫁娶》将"夫妇"一词解释为:"夫者,扶也,以道扶接;妇者,服也,以礼屈服。"西汉的大儒董仲舒将人伦大礼归结为三纲五常,其三纲即君为臣纲,父为子纲,夫为妻纲。东汉班昭《女诫·夫妇》说:"夫者天也,天固不可逃,夫固不可违也……故事夫如事天,与孝子事父、忠臣事君同也。"丈夫是妻子的纲,是妻子的天,妻子对丈夫要绝对服从,无限忠诚与崇拜。千百年的封建礼教,使夫尊妻卑成为不可更易的礼俗。

二、多妻多妾,嫡庶有等

中国古代,庶民由于受经济条件的限制,多是一夫一妻制,有的因家贫甚至无妻。但贵族从天子到士,按礼俗的规定皆是一夫多妻。夏、商时期,贵族多妻,但基本上没有严格的等级之分。如商王武丁有六十四个妻子,都统称为妇。周代由于实行宗法制度,多妻则等级分明,嫡庶有别。在多妻中,主妻称为嫡妻。嫡者,敌也,无可匹敌也。嫡妻的地位最尊。嫡妻所生的儿子称为嫡子,嫡长子是父家长的继承人。嫡妻以外的妻子都称为庶妻。庶意为枝,为卑,庶妻要尊从嫡妻。庶妻生的儿子称为庶子,庶子要尊从嫡子。嫡妻为主妻,位尊,只一人。庶妻位卑,可多人。《周礼·天官·内宰》郑司农注说:"王之妃百二十人:后一人,夫人三人,嫔九人,世妇二十七人,女御八十一人。"后在王的群妻中即为嫡,是最尊者,统管六宫。其他诸妻为庶,各有职事、等级。王后对其他众妻有生杀之权。又据《公羊传》载,天子之妻十二,诸侯九,大夫三,士二。天子之妃曰后,诸侯曰夫人,大夫曰孺人,士曰妇人,庶人曰妻。后、夫人、孺人、妇人皆为嫡妻之名,其余皆为庶妻。尽管各文献记载不同,但诸妻等级森严是无疑的。

西周和春秋时期,盛行媵妾制度。媵即陪嫁之女,她们的地位对嫡妻而言相当于妾。天子、诸侯以及后来的卿大夫,在娶嫡妻时,还可以同时一次性地娶其娣、姪(侄),即妹妹和侄女为媵。《公羊传》说,诸侯一娶九女,天子一娶十二女。一人为嫡妻,其余陪嫁之媵皆为庶妻。嫡庶皆出于同一家族,可以避免群妻间的妒嫉和争斗,以保持家族的稳定。

周代嫡庶有等的一夫多妻制,被以后的历代王朝所承袭。秦始皇嫡妻称皇后,妾皆称夫人。汉武帝之妻分为八等:一为皇后,二为夫人,三为美人,四为良人,五为八子,六为七子,七为长使,八为少使,宫女数千。从汉元帝起,皇帝的后宫嫔妃增至三千人,分为十四个等级。

在嫡妻、庶妻之外还有妾。汉代制度规定,诸侯、百官在嫡妻之外皆可纳妾。诸侯可纳妾二百,列侯一百,关内侯、吏、民(一般地主和商贾)三十。妾是男主人的性奴隶,多是由买来的婢女、抢掠来的女战俘,或犯罪籍没为奴的女子转变而成,地位极其低下。她们不能参加家族的祭祀活动,妾的亲属不能列在丈夫的姻亲之内,所生的子女要称嫡妻为母,称生他的妾为姨娘,妾称自己所生的子女为少爷、小姐。

唐朝法律规定,妾可以随意买卖,也可以赠送他人。战国时期的大商人吕不韦,就把他的爱妾赵姬赠送给了落魄的秦国公子异人。唐代诗人韩翊,在长安时看上了他好友李生的爱妾柳氏,李生知其意,立刻慷慨割爱,将柳氏赠与韩翊。妾是主人的性奴,是主人的玩物,不仅供自己享乐,也可供客人娱乐,甚至在主人支使下供客人作枕席之欢,最令妾难以忍受的还是正妻的虐待。记述唐代前期朝野遗事逸闻的《野朝金载》一书,记载正妻虐待婢妾的手段多种多样,极其残忍,有被割掉鼻子的,有被钉瞎双眼的,有被击破脑袋的,有被杀死投入茅厕的,不一而足。一夫多妻多妾的丑恶婚俗,一直延续到中华人民共和国建立才被废止,长达数千年之久。

三、门当户对,士庶不婚

在中国长达四千余年的奴隶社会和封建社会中,婚姻从来就不是以爱情为基础的,而是由男女双方的家族或宗族的经济利益、政治利益决定的。女人是变相的商品,婚姻则是各种利益的交易。特别是在上层社会,婚姻是一种政治行为,是一种借新的联姻来巩固和扩大自己势力的手段。

在中国古代,缔结婚姻关系的基本原则就是门当户对。所谓的门当户对就是男女双方的阶级地位和社会地位及经济条件要大体相当。门当户对婚姻,最初出现于西周时期。西周是崇尚礼制、强调等级尊卑的朝代,禁止贵族与平民、奴隶通婚。西周统治者为了确保血统的高贵,维护宗法制度,巩固至高无上的王权,以礼制的形式对通婚范围进行严格限制。天子家庭只能与异姓诸侯国公族通婚,诸侯国公族婚姻也只能在不同姓的其他诸侯公族中间进行。诸侯国与诸侯国之间,还有大小之分,小国一般是不能与大国婚配的。齐禧公曾想将女儿嫁给郑国太子忽,忽固辞,不敢受。有人问其中缘故,太子忽说:婚姻是讲究门当户对的,齐国大,郑国小,这门婚事,我是万万不敢高攀的。

春秋战国时期,随着奴隶制度的瓦解,礼崩乐坏,逐渐打破了婚姻的阶级、等级限制。秦国公子异人以吕不韦所赠的爱妾赵姬为妻,后来异人当了秦国的国君,立赵姬为王后。国君尚且如此,其他贵族可想而知。秦、汉以后,齐民(平民)与贱民虽有区分,通婚受到影响,但在法律上尚未有明确禁止。汉代帝王后妃中出身微贱者为数不少,如汉武帝皇后卫子夫、李夫人,汉成帝皇后赵飞燕,汉末曹操夫人卞氏,都是出身社会底层的歌舞妓。虽然如此,秦汉时期婚俗的主流仍然是门当户对。

　　魏晋南北朝时期,由于封建大地主经济的恶性膨胀,九品中正选官制度的推行,专制主义儒学的发展,形成了等级森严的士族门阀制度。那些世世代代位居高官,在政治上、经济上、文化上长期居于统治地位的官僚贵族大地主称士族或世族,地位低下的中小地主和平民,则称为庶族或寒门。士族与庶族之间有严格的界限,庶族不但难以做高官,更不能与士族通婚。士族以与庶族通婚为耻,庶族以与士族通婚为荣。南朝梁国的官员侯景,出身庶族,欲攀亲于王、谢两家大士族,梁武帝就劝他说:"王、谢两姓门第太高,你和他们不相匹配,可以在朱、张两姓以下去寻访。"北朝的门第观念更甚。婚姻只能在同类级之间缔结,否则视为犯法。门阀等级森严,士族与庶族之间禁止通婚。士族制度在唐朝时期虽然逐渐消灭,但贵族与平民、贱民,富人与穷人之间的婚姻大防仍然存在。门当户对在历朝历代都是不可动摇的婚姻风俗。"良贱不婚",在历代婚姻立法中都有明确的规定。《魏书·高宗文成帝纪》:"夫婚姻者,人道之始……尊卑高下宜令区别……今制:皇族师傅王公侯伯及士庶之家,不得与百工伎巧卑姓为婚,犯者加罪。"《唐律疏议·户令》:"人各有偶,色类须同,良贱既殊,何宜配合?"《唐律·户婚律》规定,良民与贱民(奴婢、官户、杂户、工乐户、部曲等)通婚,要杖一百,判徒刑一年半或流放三千里。这种门当户对、良贱不婚的婚制婚俗深深影响着历代中国人的婚姻。清代的"指婚"等包办婚姻及以彩礼为形式的买卖婚姻,其实都是门当户对婚姻的衍生物。中华民国和中华人民共和国虽然都以法律的形式保护男女的恋爱自由,婚姻自主,但门当户对的观念和种种变相的彩礼仍然顽固地存在着,无论农村还是城市,都屡见不鲜。

大婚盛礼结百年

男女交合,结成百年之好,是人类生命延续,家族繁衍,社会进步的第一要事。婚礼就是将这人生最重要之事告之于天地,禀之以祖宗,晓之以亲族,彰之以邻里,取得社会承认的仪式。我国自古以来就是一个多民族同居共生的国家,各民族的婚姻风俗各具特色,相互交融。自夏商周三代经秦汉以来,逐渐形成了一套内容极为丰富多彩的婚俗。其俗从议婚到完婚大体分为纳采、问名、纳吉、纳征、请期、亲迎六个程序,史称"六礼"。

一、父母之命,媒妁之言

在中国古代父权制大家族中,子女的婚姻对外是连结各个大家族政治、经济利益的纽带,对内则是传宗接代、兴旺家族的工具。因此必然是由父母来决定儿女的婚姻大事。一夫一妻制剥夺了女子的性自由,不但已婚女子要保持贞操,未婚女子也不能随意与家外的男子接触。生在官宦之家的千金小姐,多是在自己的闺房内,学习琴棋书画以及织补刺绣之类的女红,大门不出,二门不迈。生在贫苦家庭的青年女子,也只能随着父母日出而作,日落而息,很难有"月上柳梢头,人约黄昏后"的浪漫情恋。因此,男女两家要想结成姻亲,就必须由专门沟通男女两家情况的媒人从中传递消息。"六礼"中的纳采,即是男家请媒人携带礼物至女家提亲,如果女家同意议婚,则接受男家的礼物,不同意便拒绝收礼。求婚的礼物,周代是用雁,因为雁是候鸟,顺阴阳往来,寓示

17

守时有信；而且雁失其偶不再成双，寓示忠贞。秦汉以后，所执礼物多是用羔羊、合欢、嘉禾、胶漆等物，都是象征夫妻美满、和睦、牢固之义。蒙古族的求婚风俗，多是由媒人或兄长带着哈达和奶酒等礼物，如果女家同意，就将哈达放在酒壶盖上。媒人在两千多年前的周代即已经出现。所谓"男女非有行媒不相问名""男女无媒不交""女无媒不嫁""天上无云不下雨，地上无媒不成亲"等古训和俗语，说的就是媒人在婚嫁中的重要性。许多时候，两家婚事成不成，全在媒人嘴巴行不行。自古以来，父母之命，媒妁之言，不知扼杀了多少青年男女的爱情，使有情人难成眷属。梁山伯与祝英台的故事就是血与泪凝成的悲歌，一对情侣生不能成为夫妻，只好死后化蝶翩翩双飞，以了生前之愿。

二、命相彩礼定终身

在女方答应可以议婚后，决定两家能否联姻，关键在于命相和彩礼。男方再请媒人去女方家，执雁行问名礼。即问女子之姓名、排行、出生年月日等。后世问名，主要是问生肖属相，生辰八字。问清之后，回告男方，男方之家进行卜婚，看男女双方是否同姓通婚、辈分不当、嫡庶不协等，如有不当，则不能通婚。魏晋以后，特别重视的是女子的属相和生辰八字。若属相相克，八字不合，这门婚事就算告吹。例如男子属羊，女子属虎，就是属相相克，"羊入虎口祸临头"；如果男子属龙女子也属龙，这是"一张床上两条龙，不主绝户就主穷"，取了个媳妇害得男家变成穷光蛋、断子绝孙，这还了得，当然不行。如果男子属蛇，女子属兔，"蛇盘兔越过越富"；女子属鼠，男子属牛，"黑鼠黄牛正相合，子孙兴旺富贵多"，皆宜配婚。生辰八字方面，如果男子是水命，女子是土命，男子是木命，女子是金命，土克水，金克木，命理不合，相克伤败。这样命相的男女结合在一起,就会灾祸横生,人财两空。相反如果男子是金命,女子是水命,或女子是土命,男子是金命,金生水,土生金,皆是相生相辅,宜婚配。趋利避害是人的天性,所以世人都避免相克伤败的结果,而去追求相生相成的婚姻。在古人看来,人的姓氏、属相、生辰八字都是天命,天命不可违,命相不合,不能成婚。属相、八字相生相克之说,历代传沿,相因成俗,直至现在仍然有其影响。其实,属相和生辰八字的相生相克都是毫无科学根据的荒谬之论,试看今日天下,绝大多数国家根本就没有属相,也不论什么生辰八字,那些结婚的男男女女,不是生活得很幸福吗?在中国,从古至今那些按命相婚配"十全十美"的人,离婚的、破财的、家破人亡的又何其多也!

问名是测天命,天命可行,接下来就是看人为了——送彩礼。在中国古代,女子就是各个家族间互相交易的商品,所谓的娶妻实际上就是买妻。"六礼"中的纳吉和纳征就是男方给女家送彩礼订婚的礼仪。在得到媒人带回的女子姓氏、属相、八字等情况的帖子后,男方便在家庙中进行占卜。如卜得宜婚吉兆,男方遣媒人返回,通知女方。如果女方再无意见,则婚事议定,俗称小定,即现今所说的订婚。在家庙中进行占卜,表示男女婚姻大事,不仅要由父母决定,还要征得祖先的同意,因为这是事关男方传宗接代的大事。男方遣媒人行纳吉礼时,所执礼物还是雁。纳吉之礼,后世变为小聘,即男方向女方送少量的礼物,如衣服、首饰之类。接着就是行纳征礼。纳征又称纳币,即正式下聘礼,俗称放大定。征者,成也。纳征就是送大礼而成婚。行完纳征礼,意味着男女双方缔婚最后完成,可以互相走访相见,所谓"非受币,不交不亲"。纳征是男女成婚的关键。男家择吉日良辰,由男子的兄长、媒人等去女家送聘金及各类聘物;女家鸣鞭炮欢迎,敬烟,献茶,送面巾擦脸,对聘金聘物只收取一部分,并以十二件礼物作为还礼。中午,男女双方各设宴招待亲友,正式宣布订婚告成。

送彩礼是显示男女双方门第高低、官职大小、贵贱贫富的时候,男方送的彩礼越多,显得越高贵,女家也倍感光彩。历朝聘礼的构成各有特点:周朝是玉帛俪皮,战国时开始使用金钱;汉朝以黄金为主,其他实物是附属;魏晋南北朝多用兽皮,到了隋唐两朝,聘礼物品繁多,金银珠宝,绸缎布匹,衣饰被褥,都可成为聘礼。进入宋代,富贵人家置办聘礼,除一般物品外,流行给女方定做一些纯金首饰,常见的是金钏、金锭、金幢坠,号称"三金"。经济稍差一点则用白银打制,也有银制镶金的。明清时期,打制金银首饰更加普遍,手镯、耳环、耳坠、戒指最为流行。普通百姓之家,置办不起成套饰物,至少要准备一两件银饰。聘礼通常在迎娶前一百天或两个月给女家送去。具体日期由男女两家协商确定。送聘礼时还要正式通知女家娶亲的吉期,又叫"通信过礼"。

满族先世女真人多是指腹为婚,由家长决定。其俗重信义,订婚多年之后虽贵贱殊隔决不毁约。订婚时,由婿之父率领其子及亲属,带丰厚的酒馔和精美的器皿到女家。将自带的酒肉摆在案上,在与女方父母及亲属见过面以后,进行宴请。用餐之后,请女家父母及亲属等坐在炕上,婿父率领家人及同来的亲属拜于地下。拜后,奉上所带的礼物,俗称男下女,又称拜门。婚前行纳币礼,即给女家送聘礼。官宦富贵之家,送马百匹,少则十匹,陈列于女父之前。女父选好的留下,次的则退回,留的越多,越是婿家的光荣。女家收到聘礼之后要行回报礼。回报的多少根据婿家所送之礼的多少决定,女家回报时,婿要亲迎。

早期的满族人承袭女真旧俗,满族人的男女婚嫁完全是被包办的。清初，八旗子女的婚姻完全由各旗诸首领决定。天聪九年（1635年），皇太极谕：凡是八旗官员的婚姻皆由所管贝勒决定。一般平民的婚姻要由牛录章京决定，违者要受罚。其后，在满洲贵族中又盛行太后"指婚"制。《清稗类钞》载："近支王、贝勒、贝子、公及外戚之子女既及岁者，开具姓氏年龄进呈，即由太后指配与满洲、蒙古、汉军之贵族联姻，指定后，明发懿旨，以某女婚某王，或某某，名曰指婚，满语又谓之拴婚。"八旗子女的婚姻，"听上选配"，其实也是"拴婚"。拴婚制度是满族前期家长制奴隶制的体现。满族入关以后，随着家长制奴隶制向封建制的转化，拴婚制逐渐仅有形式，婚姻主要由父母之命决定。但在结婚时，必须报所管牛录章京，在结婚的"通书"（即结婚证书）上要注明是属于哪一个佐领。这一制度一直延续到清末。

受汉族礼俗影响，满族后来也多按"六礼"行嫁娶，但仍保留许多本民族古老习俗。男家择门第相当人家，求媒人通聘，媒人先后去三次，每次带一瓶酒为礼物。故俗语云："成不成，酒三瓶。"

女家如答应议婚，则由男家主妇亲自去问名、看相貌。姑娘出来给装一袋烟，俗称装烟礼。如相看满意，则送给姑娘钗钏之类的首饰为定礼，称为小定。或由主妇把首饰插在姑娘的头上，称为插戴礼。在小定之后，男家之父率子及亲朋至女家叩拜求婚。女家及其亲属受而不辞。拜毕，正式提出求婚。女家应允，则婚事确定。因是正式订婚，故称为大定。这是从金代女真人"拜门礼"一直沿袭下来的古俗。在订婚之后男家要择吉日去女家送聘礼，俗称下茶。入关前，聘礼中必有鞍马、甲胄，体现满族射猎尚武的风俗。入关后，聘礼多是猪、羊、酒、帛、首饰之类。聘礼放在铺有红毯的高桌上，抬送女家，陈列于祖先案前。两亲翁并跪，斟酒互递蘸祭,称为换盅。女家设宴款待,男家赠银,跳神庆贺。

蒙古族下聘礼多是马、牛、羊、首饰等,以多为贵。一旦聘成,女家要设许婚筵。在筵席中必有"不兀勒札儿",即羊的颈喉骨,寓意为"好马一鞭,好汉一言",今生今世决不反悔。之后男女双方论定婚期,再请喇嘛念经,火神问卦,最后确定。

下聘礼是迎娶的前奏曲,按"六礼"的程序接着就是请期,即男方派人去女方家请其选定成婚的日期。其实,男方早已卜得吉期,并已决定。请期只是谦辞,表示不敢自专,所以后世又称为"告期"。

三、锣鼓喧天迎新娘

迎新娘在"六礼"中称作亲迎。是新郎亲自迎娶新娘回家的礼仪。早在商周之际就已经有了隆重的迎亲之礼。《诗经·大雅·大明》记载:"文王嘉止,大邦有子。大邦有子,俔天之妹。文定厥祥,亲迎于渭。造舟为梁,不显其光。"译成今文:文王筹备婚礼喜洋洋,大商有位好姑娘。这位姑娘真美丽,宛如天仙一个样。占卜婚姻很吉祥,文王亲迎渭水旁。以舟船连成渡河之桥,婚礼隆重显荣光。周文王成婚亲迎新娘于渭水之滨,连接舟船成桥,场面隆重盛大,成为后世迎亲礼的楷模。中国古代的婚礼是在黄昏举行,故"婚"字作"昏","以昏为期"。古人认为夫为阳,妻为阴;昼为阳,夜为阴;赤为阳,黑为阴。所以婚礼是在昼夜相交的黄昏之时举行。西周、春秋时期,新郎去迎亲时,戴爵弁(赤黑色的帽子)、裳(浅红色的围裙)、缁衣(黑色上衣)。随从者皆穿黑衣,乘墨车,从车两乘。从者提灯照路引车而行。古人娶亲不贺,"娶妇之家三日不举乐","嫁女之家三日不熄烛",都没有大欢喜的气氛。学者认为,这实际上是上古抢婚的遗风。

父系氏族公社时代,有剽掠妇女为妻之俗,因其剽掠必在昏夜,以乘女家不备。抢他家女子者,不便张扬,被抢之家失去姑娘又何乐之有?故而没有大喜大庆的气氛。从唐代开始,婚礼多在早晨举行,取其蒸蒸日上的吉祥含义。崇尚黑色的习俗也逐渐被崇尚红色的习俗所替代,新郎的服饰和车轿及随行的迎亲队伍,都以红色为主要色调,呈现出一派火红喜庆的气氛。

迎亲是向社会宣扬炫耀的大喜事,因此迎亲的队伍往往十分壮观,富贵人家华车、骏马、彩轿、鼓乐一应俱全,随行人员多达数十人、百余人。汉唐时期,迎亲多是用轩车或辂车,宋代以后流行用花轿。花轿分四人抬、八人抬两种,又有龙轿、凤轿之分。轿身红幔翠盖,上面插龙凤呈祥,四角挂着丝穗。有钱人家娶亲为五乘轿,其中花轿三乘,娶亲去的路上女迎亲者坐一乘,其余两乘由压轿男童坐;迎亲回来时新娘、迎亲者、送亲者各坐一乘。另有两乘蓝轿,用蓝呢子围盖,上面插铜顶,由新郎、伴郎各坐一乘。小户人家一般多是两乘四抬轿。山西、陕北地区的农村,还有骑驴迎亲的风俗,皆因人因地而异。清代北京的迎亲队伍,前面高举开道的"肃静""回避"大字木牌、龙虎旗、金瓜、斧钺、伞盖和提灯,后面是喇叭、唢呐、锣鼓齐鸣的鼓乐队,新郎头戴两翅官帽,身穿大红礼服,或骑马或坐轿。因为婚姻是人生大事,虽然有些举措逾礼,官府一般也不追究。迎亲的轿子要由父母双全的小童压轿,寓意新婚夫妇和合到老,早生贵子。迎亲的轿子来到女家,女家并不马上出来迎接,而是将院门关紧,俗称"拦门"。新郎上前叫门,从岳父、岳母、小舅子一直叫到新娘,哀求开门。门内则提出种种条件,直到新郎全都答应才开门放进,显然这是远古时代族外走访婚的遗俗。新郎和陪傧进门后,送上礼物,女家设宴款待之后,新娘穿霞帔、戴凤冠,盖大红方巾,由送亲太太搀扶上轿,或由哥哥舅舅背抱上轿。女儿出嫁时,要在炕上脱去脚上的旧鞋,进了轿再换新鞋,无论如何脚不能落地沾土,土是生财之宝,带走娘家的土就是破了娘家的财。离别时要大声哭叫,叫做"哭嫁"。民谚说:"新娘哭,婆家富。"新娘哭得越响,婆家越发财。许多少数民族婚礼中都有哭嫁风俗,还有声情并茂的哭嫁歌。姑娘出门时的哭,主要是对娘家的留恋,有的也可能是对包办婚姻的怨恨,但这古老风俗的源头则是远古时代的抢婚。

娶亲的归途,不能走来时路,要走大回环。晋中风俗,依据村落位置,有玄武(北)入,朱雀(南)出;或白虎(西)入,青龙(东)出的说法。途中遇见庙、井、祠、坟、巨石、大树等要把娶亲的轿子用随带红毡或红布遮起来,为的是辟邪。

满族的迎亲风俗颇具民族特色。迎亲仪式在天未亮时开始。至吉时,新郎骑马率迎亲轿车及迎亲客去女家迎娶。轿挂红绿绸,导以灯笼、喇叭,一路吹奏。新娘在婚礼的前一天要离开家,由送亲婆陪同,亲哥哥护送,到预先选好的某家住宿,俗称打下处。第二天,根据约定的时间,新娘再登轿出发在五更天时与新郎率领的迎亲车在途中相遇,新娘换好盛装,其兄将她抱送到迎亲车上,俗称插车礼。插车礼反映了满族的先祖们在远距离的部落间通婚,长途跋涉送亲的情况。路途遥远,所以途中需要打下处。一路风险重重,由亲哥哥护送最可靠。"插车"表示已亲手将姑娘安全送交了男家。

蒙古族的迎娶风俗具有浓郁的游牧民族的特点。迎娶之日,新郎骑着披彩的马,穿马褂、皮靴,戴缨帽,束腰带,背弓箭,带迎亲队伍去女家迎亲。到女家后,新郎要向岳父母跪拜进献哈达,表示礼敬。女家请喇嘛念经,表示郑重神圣,并设全羊筵席,招待女婿与宾客。在宴会上,男方的代表要与女方的嫂子对歌,叫做"求名问属",使宴会气氛更加热烈。宴后新郎当晚住在女家。第二天一早,新娘穿红衣盛装,以红布蒙头,由伯叔或哥哥抱上马背,骑马绕帐篷三周,然后在乐队的前导下,由女傧陪同前往男家。与汉族文质彬彬的迎亲、送亲队伍不同,草原上的蒙古族迎亲、送亲的亲友,在途中要尽情催马奔驰,互相以抢帽为嬉。女方的亲友要千方百计地把帽子扔在地上,迫使新郎下马去拣,以便延缓行进的速度;男方的亲友则要尽力保护,一路上马奔人喊,有强烈的草原婚礼的气息。

四、欢天喜地拜花堂

拜花堂又称为"拜天地",它是婚礼中最重要的部分,场面热烈。明清至民国时期民间婚礼程序一般是:

1. 落轿驱邪

当娶亲队伍来到男方大门时,鞭炮、鼓乐齐鸣。男方将女方送客引领到另外院落款待,同时男方点火把轿的四周烘烤一遍,叫做"烘轿",是将一路上带来的邪气驱走。再撒谷、豆和草节,用以比"三煞"(乌鸦、青牛、青羊三神),三煞忙于吃食,就不会来危害喜事。新郎拉弓搭箭象征性地向花轿连射三次,称为射煞,驱赶妖魔鬼怪。这一古老的习俗从宋代以后比较流行,代代相因。

2. 踏袋跨鞍

驱邪之后,新娘则由属水命、金命的伴娘(从嫂、姐中挑选)为其搭上红盖头搀扶下轿。从轿下一直到院内铺红毡,毡上置青布袋。新娘在伴娘的搀扶下缓缓迈步前行,有专人将脚下的青布袋前后传递接铺。踏红毡是象征着步步走红运;"袋"与"代"谐音,踏互相传递的布袋是喻含着传宗接代。踏毡传代的风俗唐宋以来很是盛行。白居易《和春深二十首》其一云："何处春深好,春深嫁女家……青衣传毡褥,锦绣一条斜。"宋代《南村辍耕录》记载娶亲之仪:"传席以入,不令履地。"清人笔记《不下带编》记载:"今杭俗用米袋承毡,名曰'传袋',又曰'袋袋相传'。以袋隐代。"这一古老的风俗之所以历代盛行,是因为人们把传宗接代看成是婚姻的第一大事。新娘进大门时还要跨过一马鞍和火盆,"鞍"与"安"谐音,象征今后的岁月平平安安;跨火盆象征以后的日子越过越红火。

3. 拜堂成亲

新人登堂之后举行拜堂仪式。拜堂又称为拜天地,是男女结成夫妻得到天地、祖宗、父母认可的大礼。身穿吉服的新郎新娘在赞礼人的高赞声中如仪行礼:一拜天地,二拜高堂,夫妻对拜。天地是万物之始,天地合而万物生;男女结为夫妻是"天地作合",所以要首拜天地之神。百善孝为先,新郎是父母所生所养,恩重如山,在结婚大礼上拜父母是一种报恩、示孝的表示。新娘拜公婆是表示从即时起视夫之父母为己之父母,成为这个家庭中的一员。男女结为夫妻,合为一体,一生中恩爱互敬,贫富荣辱与共,所以也要互拜。

维吾尔族的结婚仪式分两天进行。第一天举行迎娶仪式。新郎在伴郎的陪同下,一路打着手鼓、吹着唢呐,用马车到女家举行迎娶仪式。仪式之前,新娘由伴娘陪同在亲友家嬉戏,新郎在伴郎和亲友的陪同下被安排在另一处,新娘新郎不能见面。由女家举行婚宴,上午宴请男方宾客,下午宴请女方宾客。宴后,举行仪式,客人们分男女两排站立,由阿訇主持,先诵《古兰经》,然后阿訇询问新郎新娘是否愿意结合,得到同意的回答后,阿訇将手中的馕蘸上盐,分成两块分别送给新郎新娘吃,表示白头到老,永不分离。此时,亲友们齐声赞美他们的婚姻美满。傍晚,迎亲的队伍带着新娘一路吹打回到新郎的家中,男方的家门点燃一堆"神火",以驱鬼避邪。新娘下车后,有人从火堆中勾出一点火,在新娘头上绕三圈,新娘为客人分发食品,然后绕火堆一圈,进入新房。

蒙古族的结婚仪俗叫做"拜灶"。迎亲队伍回到男方家后,院中已经放好了一张方桌,桌旁生起了一盆火,桌上放着弓箭、羊骨等。首先由喇嘛念经,新郎新娘拿着羊骨跪拜天地、拜火神、拜佛像,或向羊跪拜。羊是蒙古族的主要食物,拜羊就相当于汉族拜谷神,是一种感恩德求赏赐之心。接着由新郎的嫂子为新娘梳头,祝愿白头到老。之后新娘去拜见公婆,再拜见亲友。礼毕,开始婚宴。蒙古族是一个能歌善舞的民族,婚礼从始至终都要有专门请来的歌手唱赞礼歌,在不同的婚礼程序中唱不同内容的歌,如《劝嫁歌》《迎亲歌》《宴歌》《献茶歌》《祝酒歌》等等。在结婚仪式上唱《祝愿歌》:举起酒杯向天致意,为主人的良辰,我拉起马头琴,唱起喜庆的婚礼歌。十方宾客坐满席,祝贺主人新婚大吉……

4. 入洞房

夫妻互拜之后,新郎新娘牵彩缎同心结在赞礼声中由众人拥入洞房。新郎新娘的婚房为什么称为洞房呢?传说秦始皇时,有一个叫三姑的宫女,不甘惨受蹂躏逃到深山中,在山洞里和一个名叫沈博的避难书生结为夫妻,他们互敬互爱,虽然生活十分艰苦,却很快乐幸福。后来人们就把这快乐幸福的山洞之房代称新婚夫妇的婚房。但据学者考证,洞房之始乃是源于远古族外婚时代性伙伴在山洞中的野合。不管孰是孰非,总之洞房是新婚夫妇的爱巢,又是传宗接代的圣地,所以人们对它情有独钟,非常重视。在新郎新娘进入洞房之前,要将新房进行周详的布置。古人把红色或红字,视为吉祥的象征,因此洞房的布置以红色为主色调。婚床红纱帐,桌上红花烛,门楣上挂饰红"蝙蝠",象征着幸福美满。门框上贴上充满喜气祝福的红对联。如:"喜结连理""百年好合""白头偕老"等。墙上和窗上张贴由两个喜字相连而成的大红双喜字,寓意着夫妻双双喜相随。婚床由全福人精心铺设,花簇锦绣。床头放一个竹丝编的双人红漆枕头,寓意夫妻同床共枕,恩爱如胶似漆,同心协力,白头偕老。全福人边铺床边唱铺床歌:"被边压被边,生个儿子当大官。"之后将大枣、花生、栗子等撒在寝帐内,边撒边唱:"一把栗子一把枣,小的跟着大的跑。"利用谐音祝愿新娘早(枣)生子、早立子(栗子),花生就是插花生,生男又生女,儿女双全。

5. 揭盖头

新娘头上都蒙着一块别致的大红绸称为红盖头。盖头据说是由唐代的帷帽转变而来。唐代已有新娘蒙盖头的习俗。据《通典》记载,唐代时新娘的盖头是由新郎揭开。宋代亦然。元代以后更加流行。笔者认为盖头本是源于中亚妇女的面纱。唐代时西域文化大量传入中原,西域妇女的面纱被唐人接受而渐成女人婚礼时的盖头。元代蒙古统治者为了加强对中原汉人的统治,将中亚西域各族大量迁入中原,称为色目人。蒙古人和色目人是统治民族,统治汉人和南人。随着色目人的迁入,其妇女蒙面的习俗也带到中原。居于统治地位的民族,其风俗是最能影响被统治民族的,所以中原女子在元代以后结婚蒙面纱的风俗更加盛行。直至今日,中亚各国和中国新疆的乌孜别克、哈萨克、维吾尔等民族的姑娘仍然保留婚礼蒙盖头的风俗。维吾尔族婚礼的揭盖头仪式:女方客人在左排列,男方客人在右排列,大家一起作"都瓦"(祈祷)。之后由男方一位客人出其不意地把新娘头上的盖头揭下,大家开始歌舞,为新婚夫妇祝福,与新人共享欢乐。王洛宾根据一首乌孜别克族民歌《卡拉卡西乌开姆》改编的歌曲《掀起你的盖头来》,歌词为"掀起你的盖头来,让我看看你的眉,你的眉毛细又长呀,好像那树梢弯月亮。掀起你的盖头来,让我看看你的眼,你的眼睛明又亮呀,好像那水波一模样……"乌孜别克等民族姑娘蒙盖头的风俗与中原各地新娘蒙盖头的风俗是一脉相承的。

盖头的作用主要是遮羞,同时对外也增加了神秘感。由于古代婚嫁都是"父母之命,媒妁之言",新郎新娘都没有见过对方,彼此心里都充满了期待。因此揭盖头则成为夫妻双方第一次见面的机会。入洞房后新郎便急不可待地用玉如意或秤杆将新娘的盖头揭开,并且看得十分仔细,连续揭三次,一看唇,二看齿,三看眉。用秤杆或玉如意揭盖头,寓意称心如意。其实揭开盖头一看,可谓是悲喜两重天。如果新郎魁梧英俊,貌似潘安;新娘亭亭玉立,美如貂蝉,心中的一块石头落了地,皆大欢喜,飘飘欲仙。如果新郎如同身材五短的武大郎,或新娘貌似黑夜叉的嫫母,那真就是多少期待瞬间灭,身心坠入地狱间。更可怕的是偷梁换柱。《红楼梦》中的贾宝玉,本来是被告知和林黛玉结婚,拜完天地后,兴高采烈地揭开盖头一看,却是薛宝钗,顿时更加痴呆。林黛玉知道贾宝玉和薛宝钗结婚,悲愤死去。真可谓是:秤杆不称心,如意非如意。一块盖头下,多少血泪剧!

6. 坐帐撒帐

揭开盖头以后,新郎新娘并肩坐在床上,称为坐帐。新郎将自己的左衣襟压在新娘的右衣襟上,表示男人要压倒女人,高女人一头。这时亲朋好友把大枣、花生、栗子等喜果撒向新娘的怀中,撒向婚床上,撒向洞房的各个角落,边撒边唱祝福歌,祝福新郎新娘儿女双全、子孙满堂。撒帐的风俗始于汉代。据《戊辰杂抄》记载,汉武帝娶李夫人的时候,要宫人撒五色同心花果,他和李夫人用衣襟接着,接到的越多,预示得子越多。

7. 合卺结发

坐帐、撒帐之后,新郎新娘行合卺礼。卺,多籽味苦,俗称苦葫芦。将一个葫芦分割成的两个瓢,内装酒,以线连柄,夫妻对饮,表示夫妻一体,同甘共苦,多子多孙。西周时期的婚礼中,即有"同牢""合卺"之俗。同牢即是夫妻在入洞房之后,同吃一牲之肉,同饮合卺之酒。宋代以后以杯代卺,将两杯用彩线相连,互相交换对饮,称为交杯酒。饮毕,掷杯于地,若是一仰一合,象征阴阳调谐,大吉大利。行合卺礼后,新郎新娘并坐,将新郎的左侧之发与新娘的右侧之发连接在一起,称为结发,又称为合髻,表示夫妻永不分离。结发本是指人 15 岁后由少年进入青年时期,后来变成结婚的礼仪。《古诗源》载汉代苏武诗:"结发为夫妻,恩爱两不疑。"这说明汉代已有结发为夫妻之俗。夫妻同牢的风俗,在历代各地的婚礼中也都以不同的形式传承。旧时北京的婚俗,新郎新妇在洞房中吃"子孙饺子"和长寿面。饺子由女家包好带来,长寿面由男家准备。饺子要故意不煮熟,新娘在吃饺子时,一群小孩在窗外大声问:"生不生啊?"新娘要连声说:"生,生啊!"这叫"讨口彩",是多生孩子的吉兆。潮州婚俗,新郎新娘入洞房后是吃糯米汤圆,叫做"结房圆"。伴娘一边看着他们吃,一边念叨:"夫妻同饮福圆汤,同心同腹同肝肠。夫妻食到二百岁,双双偕老坐福堂。"

8. 闹洞房

在结婚的礼仪中,最热闹的是闹洞房。在新婚的夜晚,参加婚礼的人不分辈分,都可尽情地取笑打闹新郎新娘,以增添喜庆的气氛。闹洞房从一开始便掺和了许多越轨的行为,民间有"三天无大小"之说。来宾贺客可以不讲礼法,对新郎新娘恣意戏谑取乐,进行一场新房中的嬉闹。宾客们的言语、动作不论怎么过分,新郎新娘都必须忍耐,不得恼怒。

西周和春秋时期，婚礼淳朴、肃穆。孔子在《礼记·曾子问》中描述当时的嫁娶情景时说："嫁女之家，三日不息烛，思相离也；娶归之家，三日不举乐，思嗣亲也。"这反映了先秦婚礼的淳朴习尚，没有喧嚷纷闹的场面。入汉以后，社会经济有了长足的发展，人们不再满足古板而沉闷的旧式婚礼，不再固守"三日不举乐"的古训，开始大操大办，使婚礼蒙上世俗的喜庆色彩，闹洞房的风气随之而生。汉末仲长统的《昌言》中记载："今嫁娶之会，捶杖以督之戏谑，醴以趣之情欲，宣淫佚于广众之中，显阴私于新族之间，污风诡俗，生淫长奸，莫此之甚，不可不断之也。"《风俗通义》记载，汝南人杜士娶妇，闹洞房的人把他捆绑起来吊打而致死。家人上告，官府判决说，这是婚庆酒后嬉闹至死，本无贼害之心，罪不至死。可知，闹洞房从其出现伊始，过分的言行就被视为一种陋俗恶习。

关于闹洞房习俗的来历，民间传说是源于驱邪避灾。相传，很早以前紫微星一日下凡，在路上遇到一个披麻戴孝的女鬼，尾随在一伙迎亲队伍之后，他看出这是魔鬼在伺机作恶，于是就跟踪到新郎家，只见那女鬼已先到了，并躲进洞房。当新郎、新娘拜完天地要进入洞房时，紫微星守着门不让进，说里面藏着魔鬼。众人请他指点除魔办法，他建议道："魔鬼最怕人多，人多势众，魔鬼就不敢行凶作恶了。"于是，新郎请客人们在洞房里嬉戏说笑，用笑声驱走邪鬼；果然，到了五更时分，魔鬼终于逃走了，于是留下了闹洞房习俗。民俗本是始于民间，民间传说虽然荒诞不经，但世代相传，它也就成了民俗得以传沿的精神支柱，所以闹洞房的风俗至今而盛行不绝。一对新婚夫妇的圆满婚礼，在亲朋好友嬉戏欢闹中落下帷幕。

　　中国传统婚俗是中国传统文化的一部分,在数千年的发展过程中,形成了一套完整的体系。这套体系涉及中国人婚姻的方方面面,同时也反映了中华民族的深层文化心理。如何正确认识和评价中国传统婚俗? 有人说:中国传统婚俗是民族文化中的一支"奇葩",这样笼统的评价值得商榷。同一切传统文化一样,传统婚俗也是集精华与糟粕于一体的文化载体。进入阶级社会以后,中国古代婚俗所表现的并不是什么男欢女爱的爱情交响乐,而是一曲曲血泪交融的悲歌。传统婚俗从本质上而言,是以传宗接代、繁衍宗族为目的,以金钱权势交易为手段,以父母之命、属相八字为定夺的两性结合。《礼记·昏义》说:"婚姻者,合两姓之好,上以事宗庙,下以继后世。"在这种婚姻里,结婚的男女双方,非但不是主角,甚至连配角都不是,只是父母用来繁衍后代的工具。婚姻不是男女当事人的爱情,而是两个家族权势或金钱的交易。所谓的"门当户对""纳吉""纳征"即是婚姻交易的条件和价码。清代大学者赵翼对古代的婚姻更是一针见血地指出:"凡婚嫁无不以财币为事,争多竞少,恬不为怪。"男女婚姻的最后决定权,不是婚姻的当事人,而是父母之命和天命——男女双方的属相和生辰八字。父母是天命的采纳者和执行者。直到今天,这些糟粕仍然死而不僵,还以不同的形式,在不同的程度上影响当代的婚姻风俗。如果不能正确认识,坚决剔除腐朽的旧婚俗,就不能建立健康完美的新婚俗。

　　传统婚俗中所体现的尚和谐、重人伦、追求美好未来的内涵则是不容忽视的精华。婚姻中男女双方之家循礼成亲,结两姓之好,是建立两个家族之间的和谐;婚礼中,遍请亲友邻里,是增强与社会的和谐;夫妻一拜天地,追求的是天人和谐;二拜高堂,体现的是新婚夫妇与父母等长辈的家庭和谐;夫妻对拜体现的是夫妻和谐。新娘下轿,脚踏红毡布袋、跨火盆、越马鞍,洞房中撒帐、新婚夫妻喝交杯酒、结发、坐福等仪礼,都是对多子多孙、人丁兴旺、夫妻恩爱、永结同心等美好未来的追求。时至今日,这些内蕴吉祥,形式欢乐的美好婚俗,仍然是值得发扬光大的。传统婚俗的古朴内涵,大红花轿、凤冠霞帔、状元袍服的喜庆,锣鼓喧天迎亲队伍的欢乐,拜天地、喝交杯酒的真情……也正在成为当代青年人婚礼的新时尚。一些外国的青年人,不远万里来到中国,在大宅院里举行中式婚礼,体验中国风情。古老的中国婚俗,在新的时代又焕发出新的生命力。

原典选读

《仪礼·士昏礼》节选

《仪礼·士昏礼》记述周代士娶妻成婚的礼节仪式。士昏礼有六项内容，也叫作"六礼"。即纳采、问名、纳吉、纳征、请期、亲迎。三千年间，为历代沿袭，遂成风俗。

昏礼：

下达，纳采用雁。主人筵于户西，西上，右几。使者玄端至。摈者出请事，入告。主人如宾服，迎于门外，再拜，宾不答拜，揖入。至于庙门，揖入；三揖，至于阶，三让，主人以宾升西面，宾升西阶，当阿，东面致命。主人阼阶上，北面，再拜，授于楹间，南面。宾降，出。主人降，授老雁。

摈者出请。宾执雁，请问名，主人许。宾入，授，如初礼。

摈者出请，宾告事毕。入告，出请醴宾。宾礼辞，许。主人彻几，改筵，东上……出。主人送于门外，再拜。

纳吉用雁，如纳采礼。

纳征：玄纁束帛，俪皮。如纳吉礼。

请期，用雁。主人辞。宾许，告期，如纳征礼。

期初昏，陈三鼎于寝门外东方，北面，北上。其实特豚，合升，去蹄。举肺脊二、祭肺二、鱼十有四、腊一，肫髀不升。皆饪。设扃鼏。设洗于阼阶东南，馈于房中……

主人爵弁，纁裳缁袘。从者毕玄端，乘墨车，从车二乘，执烛前马。妇车亦如之，有裧。至于门外。主人筵于户西，西上，右几。女次，纯衣纁袡，立于房中，南面。姆纚笄宵衣，在其右。女从者毕袗玄，颖笄，被颖黼，在其后。主人玄端迎于门外，西面再拜，宾东面答拜。主人揖入，宾执雁从。至于庙门，揖入。三揖，至于阶。三让，主人升，西面。宾升，北面，奠雁，再拜稽首，降，出。妇从，降自西阶。主人不降送。婿御妇车，授绥，姆辞不受。妇乘以几，姆加景，乃驱。御者代。婿乘其车，先俟于门外。

妇至，主人揖妇以入。及寝门，揖入，升自西阶，媵布席于奥。

夫人于室即席，妇尊西，南面。媵御沃盥交。……御布对席，赞启会，却于敦南，对敦于北。赞告具，揖妇，即对筵，皆坐。皆祭，祭荐黍、稷、肺。赞尔黍，授肺脊，皆食以湆酱，皆祭举、食举也。三饭，卒食。赞洗爵，酳酢主人，主人拜受，赞户内北面答拜。酳妇亦如之，皆祭。赞以肝从，皆振祭。啐肝，皆实于菹豆。卒爵，皆拜。赞答拜，受爵，再醑如初，无从。三醑用卺，亦如之。赞洗爵，酌于户外尊，入户西，北面奠爵，拜，皆答拜。坐祭，卒爵，拜，皆答拜。兴。主人出，妇复位。乃彻于房中，如设于用室，尊否。主人说服于房，媵受；妇说服于室，御受。姆授巾。御衽于奥，媵衽良席在东，皆有枕，北止。主人入，亲说妇之缨。烛出。媵馂主人之余，御馂妇余，赞酌外尊酳之。媵侍于户外，呼则闻。

夙兴，妇沐浴，纚笄、宵衣以俟见。质明，赞见妇于舅姑……

继祖正体——姓氏名号风俗

中国古代是宗法社会，人们最重视宗族、家族的血缘亲情，因而也最重视宗族血缘集团的始源——祖宗。而祖宗留下的标志就是宗族集团的姓与氏，每个宗族成员的姓与氏就是对祖宗血脉的继承。在宗族集团中，夫妻关系称为合体，父子关系称为继体。每个人由父、祖起的名，不仅是为了区别其他个体，也是为了表明他在宗族中的合法地位，这就是正体，也称为正名。因此每个人都有属于自己的姓氏名号。各个民族都有自己独特的姓氏及命名习惯。时代不同、民族不同、地域不同、性别不同，形成了不同的姓氏名号风俗。

说姓道氏溯源流

人类之初本无姓名,但随着族群人口的增长、活动空间的拓展,无论对族群还是对个体,都需要确定某一特定的社会代号来满足日益增长的交往的迫切需要。于是,作为族群符号的"姓氏"和个体符号的"名字"便应运而生。

一、姓,人所生也

姓是人类群体最早的代号。史学家考证,最古老的姓始于原始社会的母系氏族公社时期。自距今 10 万年至 1 万年左右,中国原始社会进入母系氏族公社时代。所谓的氏族就是由同一血缘关系的人们所组成的生产、生活共同体。这个时期的婚姻形态已经由原始群时代的杂乱交配进入到了不同氏族群体间的男女交配,史称族外婚。族外婚所生的子女仍然是知其母不知其父，所生子女只能生活在母亲的氏族中，这个氏族中的所有人都是一个始祖母的后代，世系以女性记。这样的血缘团体，史家称为母系氏族公社。由于社会生产力的发展，各个氏族群体逐步有了相对稳定的居住区，彼此之间为了相互交往，需要有一个标志自己、区别于其他族群的称号，这个最初的称号就是"姓"。古籍记载中国上古有八大姓氏：姬、姜、妫、姒、嬴、姞、妘、姚，中国当前的大多数姓氏都是由此八大姓演化发展而来。奇怪！为什么这八大姓都离不开"女"字呢？《说文解字》给我们提供了揭开这一历史之谜的钥匙。《说文解字》云："姓，人所生也。古之神圣母感天而生子，故称天子，从女从生。""从女从生"是说"姓"字由女和生二字所构成。"人所生"即人所由生，是说"姓"是由同一个女性祖先所生的后代而来，这个女性祖先即是所谓的"古之神圣母"。那么"古之神圣母"是怎样感天生子而得姓的呢？且看典籍中所记载的古老传说。《史记·殷本纪》说：商人的祖先契，"母曰简狄，有娀氏之女……三人行浴，见玄鸟堕其卵，简狄取而吞之，因孕生契"。因契是其母简狄吞玄鸟卵而生，因此商人"子"姓，子即是卵。今天，人们仍然还是子卵同称，如称鸡卵为鸡子。《史记·周本纪》记载周人的始祖后稷（又名弃），其母姜嫄，在野外见有"巨人迹，心忻然说（悦），欲践之，践之而身动如孕者。居期而生子"。弃是其母践巨人之迹而生，迹与姬同音，故周人"姬"姓。同样，夏代始祖禹，也是因其母吞食薏苡（一种草本植物的果实，即今薏米）而生，所以以"姒"为姓。苡与姒皆从以，古代音通。夏、商、周三代之祖，皆是由其"神圣母"交感天物而生，由天物之名而得姓。在远古时代，由于还处在蒙昧的野蛮文化状态，认识能力低下，既不能正确认识人类的自身，也不能正确认识周围的自然界。他们认为自然界的天与万物和人一样也都是有灵魂的,并且能够支配着人类世界。人两性相交能产生子女,有灵的天物与人交感也能产生子女,这就是《说文解字》所说的"感天而生子"。先民们在无法正确了解本氏族始源的情况下,就把这种与始祖母交感的神物视为本氏族的祖先和保护神,以这种神物(或是生物,如各类动物或植物;或为无生物,如石、水、火之类)作为本氏族的名号、徽号的标志,并加以顶礼膜拜,这种神物之名往往就是本氏族的姓。北美洲的印第安人把这种视为本氏族祖先和保护神的某种神物称为图腾。商人一直敬玄鸟为图腾,玄鸟即燕子。不但以燕卵(子)为姓,还以燕为国名,所以商又称为殷,燕殷一音之转,殷即是燕。摩尔根《古代社会》一书为此提供了佐证。摩尔根说:"在美洲各土著中,所有的氏族,都是以动物或无生物命名。从没有以个人命名的。如新墨西哥的摩基村的印第安人中,氏族成员称他们就是本氏族命名的那种动物的子孙。"氏族之姓源于图腾,不仅印第安人如此,中国古代的先民们也是如此,这是古代人类社会的共同现象。王充《论衡·奇怪篇》说:"禹母吞薏苡而生禹,故夏姓曰姒,(契)母吞燕卵而生,故殷姓曰子,后稷母履大人迹而生后稷,故周姓曰姬。"这些传说保存了原始社会母系氏族时代的图腾信仰风俗,显示出最早的姓确实是与图腾有着渊源关系。因为最古老的姓都是在母系氏族公社时代从母所产生而得,所以姬、姜、妫、姒、嬴、姞、妘、姚等姓都从女。各部落、氏族都有各自的图腾崇拜物,如熊、虎、狼、牛、马、石、水、麦、柳等,并以这些图腾为本部落或本氏族的标志,后来便成了这个部落全体成员的代号,即是姓。

最原始的姓除了源于图腾以外,还有源于氏族所居之地的。司马迁《史记·五帝本纪》中说:黄帝住姬水之滨,以姬为姓,炎帝居姜水之旁,以姜为姓。黄帝因居地得姓姬与周人始祖弃因其母踏大人迹而得姓姬似乎是矛盾的。古史茫茫,后世追述,有所出入是正常的,这有待于史家进行梳理、研究考证。但它至少可以说明上古时代确实存在以居地得姓。进入阶级社会以后,以居地命氏当是上古以居地得姓风俗的延续。姓原本是母系血缘关系,进入父系氏族公社以后,姓也就转变为父系血缘关系。如黄帝姬姓,他的二十五个儿子分为十二个姓。《国语·晋语四》说:"凡黄帝之子,二十五宗,其得姓者十四人,为十二姓:姬、酉、祁、已、滕、箴、任、荀、僖、姞、儇、依是也。"韦昭注:"得姓以德居官,而初赐之姓十四人,而内二人为姬,二人为已,故十二姓。"

　　《白虎通义·姓名》说:"人所以有姓者何?所以崇恩爱、厚亲亲、远禽兽、别婚姻也。故礼别类,使生相爱,死相哀,同姓不得相娶,皆为重人伦也。姓生也,人所禀天气所以生者也。"姓的作用表现在对内、对外两个方面。对氏族的内部而言,姓起着明血缘、重亲亲的作用,同姓即表明是属于同一血缘系统的人。有共同的血缘关系,就要互相关爱、互相帮助,甚至有血亲复仇的责任和义务。姓是维系和凝聚血缘团体的一面旗帜。对氏族外部而言,姓作为氏族的名称,是各个氏族之间互相区别的标志,特别是还起着"别婚姻"的重要作用。古人通过数千万年之久的经验教训,逐渐认识到了"男女同姓,其生不蕃"的道理。同姓氏族内的男女婚配,子女是不健康的,所以禁止同姓婚配。如果没有姓,同一氏族的人由于传衍的年代久远,就极有可能造成同姓之间的通婚,有了姓的区别,才能实现同姓不婚,确保氏族的健康繁衍和发展。正因为姓是用来"别婚姻"的,所以在古代,女子的姓比她的名更重要。贵族女子婚前婚后,生前死后,都有种种不同的称谓,但是无论怎样称呼,都必须带上姓。即使贵族对于买来的姬妾侍女,也要进行辨姓,如果实在无法知道,就用占卜的方法来确定。

二、胙之土而命氏

古代风俗，氏族不但有姓还有氏。什么是"氏"呢？据清代的文字学家段玉裁《说文解字注》考证，氏字为"是"字的假借字，原本写作"是"。"是"字的最初含义是人的脚趾。脚趾是躯干的分支，躯干的分支称为是，即氏。氏是姓的分支，是由姓分衍出来开辟新居住地的血缘团体。《左传》隐公八年："天子建德，因生以赐姓，胙之土而命之氏。"随着社会的发展，人口必然不断繁衍增多。越来越多的人口很难生活在一个狭小地域内的同一个母系血缘团体中，势必要分出若干个女儿氏族及孙女氏族，分居到其他各地，形成新的血缘共同体，这些分出的血缘共同体就是氏。氏始于母系氏族，父系氏族时代和进入阶级社会以后，由于社会生产力的提高和人口的增多，特别是扩张领地的需要，更加发展，并且逐渐由习俗而成为礼制。《白虎通义·姓名》说："所以有氏者何？所以贵功德，贱伎力。或氏其官，或氏其事。闻其氏即可知，其所以勉人为善也。"

氏作为一个独立的血缘共同体也必须要有自己的名称。氏是与土地联系在一起的。母氏族在分给子氏族一块土地的同时，还要给这个氏族一个名称。在氏族社会，氏的名称，由部落酋长命名，在阶级社会由国君命名，称为胙土命氏。命氏的情况比较复杂，主要有以下几个方面：

一是以国为氏。诸侯受封得国，就以国号为氏号，如卫、燕、齐、鲁、宋等等。

二是以邑为氏。卿大夫以受封的采邑为氏。如西周有一个叫造父的，为周穆王管理车马有功，周穆王把赵邑分封给他。造父及其子孙从此以赵为氏。公孙鞅在秦变法有功，秦穆公把商邑封给他,即以商为氏,称为商鞅。

三是以居地为氏。如居住在妫水边就以妫为氏,居住在城东门附近就以东门为氏,居住在城郭之北就以北郭为氏。

四是以官为氏。如司马为周代管兵马之官。周宣王时程伯休父为司马,因平徐方有功,赐以官族为司马氏。其后代皆以司马为氏,其他如司徒、师、史等氏都是由官职而来。

五是以技为氏。如屠(宰杀牲畜者)、陶(制陶者)、巫(求神者)、卜(占卜者)等等,都是以技职为氏。

六是以祖先之字为氏。如孔子是殷人的后裔,子姓。其先祖是宋国的贵族公孙嘉,公孙嘉字孔父,其后代以孔为氏。

七是以祖先的谥号为氏。如周文王名姬昌,谥号为文,其后代子孙有的即以文为氏,战国时越国大夫文种即其后人。其他以谥号为氏的还有武、穆、宣、庄、戴、景等等。

因为姓是祖先氏族始源的标志,所以是永远不变的。氏是由居地、国、邑、官、技、字、谥等来命名的,所以氏是可变的。如商鞅,他的始祖康叔是周文王的第九子,所以他是姬姓。康叔的封国是卫,他的后代以国为氏,因此商鞅原来以卫为氏,称为卫鞅。卫鞅是诸侯之孙,诸侯之爵为公,公之子称为公子,公子之子称为公孙,卫鞅以爵为氏又称公孙鞅。秦穆公封给他采邑商,又以邑为氏,称为商鞅。可见氏是随着命氏的因素变化而变化的,一个人的一生可以有几个氏。战国以后,姓氏逐渐合而为一,统称为姓。

氏既然是一个独立的血缘团体,同姓一样也是对内起着团结血缘团体、对外起着确立自己存在地位的作用。进入阶级社会以后,贵族男子成为氏族的主体和代表。无论是哪种得氏的方式,都只是与贵族、与男子有关,而与平民、女子无涉,只有贵族的男子才能称氏。氏是贵族男子地位权力的象征,因此,氏又具有"别贵贱"的重要作用。

三、姓氏的变迁

姓氏是通行于夏、商、周三代贵族阶层的礼俗,只有贵族才有姓氏,平民、奴隶无姓氏,因此常以"百姓"代称贵族。春秋时期,礼崩乐坏,阶级关系发生巨大变化,宗法制逐渐瓦解。昔日的贵族有许多沦落为平民甚至奴隶,昔日的平民有的上升为贵族。至战国时期,这种变化日益加剧。姓氏制度随着经济基础和阶级关系的剧变,也随之发生了巨大变化。平民也有了姓,"百姓"已经成了下层民众的代称,姓与氏逐渐合而为一。至西汉时期,姓与氏通称为姓。正如顾炎武在《日知录》中所说:"姓氏之称,自太史公混而为一。"《史记》中司马迁不分姓氏,不是故意而为之,乃是姓氏合一已经成为社会普行的风俗的写实。魏、晋、南北朝时期,是姓氏风俗又一大变时期。周边的各少数民族大批涌入中原地区,出现了民族大融合的局面。各个少数民族的官民纷纷以汉字表示自己的姓氏。有的是音译,有的音译省减,有的借用,有的直接改为汉姓。如宇文、慕容本是辽西鲜卑族部落名,都是音译而为姓;鲜卑族的步六孤氏、丘穆陵氏音译省减为与之音近的"陆"姓和"穆"姓;鲜卑拓跋氏因为是皇族直接改为"元"姓。元者,一也,天下第一姓。少数民族姓氏的加入,使中华民族的姓氏文化更加丰富。

姓是祖宗传下来的,夏、商、周三代,氏虽有变化,但姓基本上是世世代代不改。但汉代以后恒常的姓也发生了动摇,出现了改易的现象。主要有以下几种情况:

一是因功被赐姓。如汉初的娄敬因功被汉高祖赐姓为刘;唐代的徐敬业因功被唐太宗赐姓为李;唐代的突厥人阿史那思摩,突厥姓为阿史那,改汉姓为史,因战功唐太宗赐姓为李,称为李思摩。

二是因避祸而改姓。如汉代的韩信被吕后夷灭三族，其子侥幸逃至南粤，取韩字一半而改姓为韦。南宋的岳飞被秦桧杀害后，其子岳霆逃到湖北黄梅改姓为鄂。

三是因迁徙改姓。如山东诸县葛姓迁居到河南，为了与当地葛姓相区别而改为诸葛。

四是因为避讳改姓。如五代刘弘昌、刘弘果为避宋太祖之父讳而改为洪姓。

五是因政治需要改姓。古代少数民族入主中原后，出于巩固统治的政治需要而改姓。如北魏孝文帝推行汉化政策，下令鲜卑人一律改成汉姓。拓跋氏改姓元，吐伏卢氏改姓卢等。

六是嫌原姓复杂、字多而改姓。如司马简姓司或马或冯，欧阳简姓欧。另外有些少数民族姓在译成汉语后，嫌字太长就简化，如爱新觉罗改姓罗、金。

中国古代的姓氏，经过几千年的发展不断增多。据说，北宋时杭州有一老儒，把当时的姓氏进行搜集整理，编成《百家姓》。《百家姓》共收录408个单姓和30个复姓，共438个姓。经过流传补充，现在流行的《百家姓》共504姓，其中单姓444个，复姓60个。《百家姓》为尊国姓，以"赵"姓居首。五代十国时由钱镠所建的吴越国，在十国中存国时间最长，其末君钱俶又自动归宋，仍封为国王，所以《百家姓》将其列为第二姓。其他孙、李、周、吴、郑、王为第三至第八姓，皆贵戚之姓。《百家姓》为四句韵语，虽无义理，但便于背诵，所以流传至今。宋代以后，历朝都有人重新编写《百家姓》之类的统计姓氏的书籍。明代吴沈所主编的《千家姓》中收入了1968个姓氏，其中单姓1768个，复姓200个。至现在，我国的姓氏究竟有多少个，尚无精确统计。台湾学者王素存编著的《中华姓府》共收录了7720个姓氏，这是迄今为止收录汉字姓氏最多的姓书。

命名取字蕴意深

中国古人不仅有姓,还有名与字。名与字相互关联,各有深刻的蕴意。

一、父咳笑而名子

名是个人的代号。每个人都是生活在群体中,必须要有一个与其他人互相区别的代号,这就是名。名的历史远比姓氏更古老。早在原始群早期人皆有名。最初的名字都是根据个人的外貌体征、性格、特长等得来的。如蚩尤是凶狠的大虫;后羿之"羿"是善射者等,这些带有绰号色彩的名字,便成为人们最初辨别同一群体中不同个体的方法。进入阶级社会以后,人的名具有了更加丰富的内涵,并且有了一套日渐完备的命名礼仪。夏、商二代风俗,孩子生下以后不久就由父亲起名。夏王启的名字就是他的父亲禹起的。夏代末期和商代的诸王,都自认为是天在人间的代理者,以天日自居,多以天干为名。夏代的第13代王名胤甲,第14代王名孔甲,末代王(桀)名履癸。商代的开国之王名大乙(汤),之后有太丁、外丙、中壬……帝乙、帝辛(纣)。

周代有了更加完备的命名制度。据《礼记》《左传》等书的记载,婴儿生下三个月以后,由父亲为孩子起名。其仪程据《礼记·内则》记载:孩子出生三个月后,选取吉日为孩子剪理胎发后由父亲命名。这一天,孩子的母亲抱孩子去见父亲。父亲及家人都要沐浴更衣。父亲站在阼阶之上面向西,母亲站在阶上当门楣而立,面向东。保姆站在母亲的前面,帮助传话说:"孩子的母亲今天恭敬地让孩子来拜见父亲。"父亲说:"要教育孩子恭敬地遵守善道。"于是父亲执婴儿的右手,慈爱地咳笑着为孩子命名。母亲替儿子回答:"将记住父亲的教导,努力有所成就。"然后把孩子交给保姆,保姆把孩子的名字告诉家中的其他女人。父亲把孩子的名字告诉家宰,家宰把孩子的名字告诉家中的各位父兄子弟,并且要在简册上写下"某年某月某日生",之后收藏起来。还要另备一份送给州府备案。可见礼仪是相当的庄重。孩子起名时,如果孩子的祖父还在世,祖父也可以给孩子起名,仪礼相同。给孩子起名要有忌讳,不能用日月山川之名,不能用国名,不能用隐疾之名。大夫、士的儿子不能与国君的儿子同名。

一般说来命名有五种方法:一是信法,以生名。信就是实,即以孩子出生时的实际情况取名。如鲁公子友出生时,其手掌纹像个友字,故取名为友。二是义法,以德名。义就是内涵,即以期望的祥瑞美德取名。如周文王出生时有祥瑞,其父太王希望他将来能使周国昌盛,故取名为昌。三是象法,以类名。象就是相似,即根据婴儿的某个部位与什么东西相似而取名。如孔子出生时,其头四周高中间低,形状如丘,加之他是其父母祈祷于尼丘山而生,故取名为丘。四是假法,以取于物为名。假就是借,即假借物名为人名。如孔子的儿子出生时,有人送来一条鲤鱼,故取名为鲤。五是类法,取于父为名。类就是以孩子与父亲某些相类似的方面取名。如鲁庄公的出生日与其父鲁桓公相同,故取名为同。当然取名的方法不止这五种,还有梦象法、占卜法等等。这些命名的基本方法被以后历代所因袭,成为中华民族命名习俗的源头。

二、宾冠礼而取字

字也是个人代号。名是幼年、少年时的代号,字是成年以后的代号。《礼记·曲礼上》说,"男子二十,冠而字","女子许嫁,笄而字"。周代贵族男子年二十结发加冠。加冠时要由父亲主办,举行隆重的冠礼,在典礼上由来宾中的最尊贵者为其取字。取字的礼仪:被加冠者站在西阶的东面,脸朝南。参加冠礼的贵宾,给他取字。宾致祝词说,礼仪已经完备,吉月吉日,公开宣告你的字。你的字称为伯某甫(伯为兄弟排行,某为字,甫是字后男子的美称)。你的这个字很好,很适合英俊之士,你要永远珍视牢记。冠者答谢,取字礼结束。加冠取字以后,就表示已经是成年人,就可以结婚和参加成年人的社会活动了。女子 15 岁许嫁时,束发插笄,举行笄礼,同时取字。所以旧时女子将要许嫁时叫作"待字"。

字与名要有一定的联系,或是对名的解释或是补充,是与名相表里的,故又称为表字。如孔子,名丘,字仲尼。因为孔子是他的父母祈祷于尼丘山求子而生,所以以丘为名,以尼为字,合成尼丘二字。仲是排行老二,故又称为仲尼。孔子的学生司马耕,字子牛;冉耕,字伯牛。因为春秋、战国时期已经用牛耕田,所以人的名和字也常常与"牛""耕"联系在一起。再如三国时期的诸葛亮,字孔明。孔是"最"的意思,最明即为亮。周代贵族男子的名字,其全称一般都是第一层次为兄弟排行,如伯、仲、叔、季之类,排行也属于字的范畴。第二层次为字。字的后面往往还要加上一个表示性别的美称,尊称男子为"甫"(父)。第三个层次为名。秦、汉以前,古人名字连称时先字而后名,秦、汉以后先名而后字。如周代著名的大贵族兮伯吉父甲,兮是他的氏;伯是他在家中兄弟排行为老大,吉是他的实字,加上排行,字为伯吉;父(甫)是他男性的美称;甲是他的名。春秋时期孔子的父亲为孔叔梁纥,孔是氏,叔是排行,梁是字,纥是名,简称为叔梁纥。

春秋时期,男子取字的美称、尊称多为"子",而"甫"字渐不流行。如郑国的执政公孙侨,字子产;吴国的军事家伍员,字子胥等等。因为周代是男子称氏,女子称姓,所以周代贵族女子的字全称是在姓前加表示排行的孟(伯)、仲、叔、季,字的后面是表示性别的美称、尊称"母"。如青铜器《铸公簠》铭文中有孟妊车母,孟为排老大,妊为姓,车为字,母为表示女性的美称。《仲姞匜》铭文中有中姞义母,中即为仲,排行老二,姞为姓,义为字,母为表示性别的美称。

古人非常重视礼仪,在名与字的用法上要体现出尊卑长幼之礼。在人际交往中,名一般用于谦称、卑称,或上对下、长对幼的称呼。字多为尊称,下对上称字,平辈只有在非常熟悉的情况下才互相称名,在多数情况下是互相称字,以表示敬重。后人对前贤也是称字不称名,子女对父母,臣民对君主更是不能称名,甚至连字也不称,否则被视为大不敬,是一种罪过。

三、随波逐流时尚名

名字风俗具有鲜明的时代性,各个历史时期的政治、经济、文化等不同,受其影响的名字习俗也各有不同的特点,随着时代潮流的变迁而变化。汉代罢黜百家,独尊儒术,儒家推崇的圣人成了至尊。追慕圣人成为起名的时尚。如张禹、赵禹、邓禹、陶汤、张汤、赵汤、周昌、王昌(昌为周文王的名)、张尧、黄舜等就体现了这一特色。汉武帝好神仙,追求长生长寿。上有所好,下必甚焉,风气所致,如万年、延寿、寿王、千秋、去病、去疾、彭祖、彭生等名一时间又风起云涌。魏晋南北朝人自命清高,玄学盛行,起名讲究高雅。盛行以"之"

命名,如王羲之子献之,孙静之、桢之。画家顾恺之,将军刘牢之,科学家祖冲之,史学家裴松之,文学家颜延之、杨衒之等。南北朝佛教盛行,取佛僧名成了时髦。一时间,僧佑、僧护、僧智、梵童、摩诃之名比比皆是。据正史载,南北朝带僧字的名有122人,昙者39人,佛者24人。唐宋时,道教红极一时,以金、木、水、火、土五行命名成了时尚。如朱熹(火),父名松(木),儿名塾、垫、在(土),孙名钜、钧、鉴、铎(金),曾孙名渊、泠、潜、济、浚、澄(水),刚好是五行一个循环。

名字的单字与复字也是随着政治的动向、时代的潮流而变化。周代盛行单字名。周代是一个重礼崇圣、以圣人为法的时代。古代圣王尧、舜、禹、汤、周文王昌等皆单名。圣人孔子名丘、孟子名轲,也都是单字名。人们以圣王、圣人为法,争相单名,久而成为一种礼俗,违背它被视为违礼。"《春秋》讥二名",《公羊传》就说"二名非礼也"。相传《春秋》为孔子整理修订而成,孔子都反对复字名,当然以守礼的单字名为好。另外西周实行避讳制度,单字名便于避讳,它又推动了单字名的流行。秦汉以后避讳制度更加盛行,不但死人之名要避讳,活人之名也要避讳,违者甚至要犯死罪。避讳的字越来越多,为了尽量减少讳字,以免遭祸,名字用单字,当然就是最好的办法了。所以秦汉皆承袭单字名风俗。如西汉12帝,仅汉昭帝一人复字名(名弗陵),其余11帝都是单字名;《汉书》列传目录中列名者凡300余人,只有周亚夫、董仲舒、司马相如等60来人为复名,其余皆单名;西汉末期建立新朝的王莽,竟以法律的形式严禁复字名,更推动了单名制的发展;东汉12帝皆用单字名;《后汉书》列传名录中列著名人物530余人,其单、复名的比例为31∶1。这种盛行单名的风俗至魏晋仍然没有大的改变。

西晋时期发生了"八王之乱",继而周边的少数民族纷纷进入中原地区,出现了"五胡十六国"、南北朝对立的大分裂、大动荡的局面。神圣的避讳制度受到了严重的冲击,减少了一些繁杂的避讳。同时各少数民族进入中原,他们的复字名甚至多字名也造成了一种新时尚。于是自东晋、南北朝时起复字名逐渐畅行。《晋书·后妃传》中共列 14 位后妃,都是用的双字名。自隋唐直至清代以后,双字名大盛,单字名日益减少。明朝 16 帝中,只有明成祖朱棣为单名,其余 15 帝皆为复字名。

四、范字风俗又一新

大约东汉末出现范字,唐代以后逐渐风行。范字就是同族的同辈兄弟在取双字名时,往往有一字相同,一般以前一字相同的居多。如唐高祖李渊有 22 个儿子,除了太子李建成、秦王李世民等 6 人外,其余 16 人皆以"元"字为范而名,如李元吉、李元景、李元昌等。也有取后一个字为范的,如隋将宇文化及,其弟为宇文士及,皆从下一个字"及"。单字名的范字无法用一个共同的字来表示,古人便又发明一种以共同的偏旁部首来标识的办法。如唐玄宗的 30 个儿子中,除了李亨、李一、李敏 3 人及 7 人名字失传外,其余 20 人用字皆以"王"(玉)字为偏旁。如李琮、李琬、李瑛等人。宋代大文学家苏轼、苏辙兄弟,是以"车"字偏旁来表同辈关系。范字风俗一直延续到今,仍然是兄弟排行起名的规范,毛泽东、毛泽民、毛泽覃,皆范泽字。

五、建祠立谱——名垂千古

中国古代重名之风盛行,最渴望的是名垂千古。为了使祖先传下来的姓氏和名字世代相传,各个大宗族都以建宗祠、立族谱的形式予以保留。宗祠是祭祀祖宗的场所,族谱是记载历代族人的名册。宗祠和族谱是姓氏风俗的重要组成部分。

黄县琅琊王氏族谱【民国 16 开线装 10 册全】

　　宗祠是由周代宗法制度中的宗庙发展而来的。宋代允许士大夫建立祠堂,祠堂突显宗族的姓氏,以姓氏为名。如王氏宗祠、李氏宗祠、陈氏宗祠等,聚合同姓宗族祭祖。明朝世宗采纳大学士夏言的建议,正式允许民间联宗立庙,"庶人无庙"的制度被打破,从此宗祠遍立,风俗日盛。有的大宗祠是数县范围内同一远祖所传族人合建的。如江西新安皇呈徐氏宗祠,下统 38 族,远族有距宗祠 300 里者。宗祠之下又有支祠、房祠、家祠。支祠、房祠为族中各支派所建,用于供奉本支、本房的祖先。有些大家族的宗祠规模相当宏大,富丽堂皇。宗祠祭祖,是最重要的宗族活动,合族男子会集于宗祠,由族长主持,礼仪庄严隆重,要充分表达出尊祖敬宗之情。通过祭祀祖宗,加强族人姓氏的血亲观念。

　　族谱是以记载父系家族世系人物为中心的历史图籍。其作用是明世系、辨昭穆、别贵贱、敦孝悌、重人伦、睦宗族、厚风俗,维系宗族的团结。唐代以前的谱牒,在唐末五代的战乱中绝大多数散失不存。宋代以后,经欧阳修、苏洵、苏轼父子的倡导，家谱重新受到重视。朱熹说："谱存而宗可考，是故君子重之。"组建封建大家族，必有族谱。宋、明之后，随着各大宗族的发展，族谱又兴盛起来，所谓"家之有庙，族之有谱"，不但名族望门有谱，一般家族也有谱。有合族之谱，也有分支之谱。

明、清时代比较完备的族谱一般由以下几部分组成：序文、谱例、目录、家训族规、族墓、祠堂、族田情况、始迁祖以下全族已故和在世的所有族人的谱系世表。谱系世表，首记祖宗姓名讳字，然后分记各房支。各房支以表格的形式登记每一世次男性宗族成员的名、字、号，功名仕宦情况、婚姻、生育情况和享年、葬地。外族之女来后就加入丈夫的宗族，以某氏的名义附于丈夫之后。家族成员光宗耀祖者特立家传。族谱要定期续修，以避免因长期失修而造成族人散失，辈分混乱，感情淡漠。每次族谱修毕，全体族人都要在宗祠中集会，举行祭告祖宗的仪式，并把续修过的族谱分发给各支房，妥善保存。

有的家族为了使子孙行辈清晰，不相混杂，在立家谱或修家谱时，便规定下世系命名所范之字的辈分序列。为了便于记忆、流传，往往将行辈排列编写成五言或七言的诗句。如：乾隆为孔子后裔定了三十个字为：希言公彦承，宏闻贞尚衍，兴毓传继广，昭宪庆繁祥，令德垂维佑，钦绍念显扬。这便是30代所范之字。规定了家族各代所范之字，行辈明确，增强家族的亲和感及凝聚力，有利于维护宗法制大家族。这种范字古风相沿至今，在世界各国各民族中，可称得上是独一无二的创造。

别号绰号展风流

中国古代不同的人，不仅有名、有字，还有另起别号、绰号的风俗。别号也简称号。别号、绰号另有寓意，或表处境，或表志趣，或张扬个性，尽展风流。

一、达心志趣的别号

号是在名与字之外又另起的代号，因此号又称别号、表号。名是生下来三个月以后由父亲起的，男人的字是20岁举行冠礼时由贵宾起的，而号则多是由自己起的，也有他人送的。

号在周代就有，但是没有流行，未成风俗。汉代有号者以隐士居多。如诸葛亮才识卓群，在未仕刘备时，隐居隆中，人称卧龙。庞统人称凤雏。达官贵人的号，往往是别人根据他们的某种表现奉送给他们的。例如：东汉开国元勋之一的冯异，每当诸将群聚闲聊或称功夸能时，他便躲在大树下正襟危坐，暗诵兵书，检点得失，久而久之，军中将士便称他为大树将军。唐宋间由于文学发达，文人活跃，文人、士大夫讲究文雅，多是自取其号以表明心态处境等，于是号在唐宋间盛行起来。如唐代大诗人李白自号青莲居士，表明自己出污泥而不染的高尚情操。宋代的大文学家欧阳修，晚号六一居士，就是一万卷书、一千卷古金石文、一张琴、一局棋、一壶酒，再加上他自己一老翁，共六个一而取号。

别号与名、字可以有关联，也可以无关联，用字不拘，取义也不拘，非常自由。其字可以是两个字，也可以是三个字、四个字、五个字等等不限。如王安石，号半山，两个字，与名有关联;杜甫,字子美,号少陵野老,四个字,与名、与字无任何关联。其义可取于居住地的山、海、溪、泉、树等自然物,如陶渊明号五柳先生,蒲松龄号柳泉居士。也可以取义于所爱好、所寄情的龙、凤、鹤等动物,如明代文学家赵南星,号侨鹤。而明末的朱耷竟然自号为驴、屋驴、驴汉。也可以取义于所居的村、庵、室、斋、亭等建筑物,如朱熹号晦庵,章学诚号实斋等。对自己可以自褒、自贬、自慰、自叹,称翁、称老、称夫、称山民、称居士、称道人、称主人等等不一而足。有些人甚至还以自己的形貌特征、惊人之语自号。明代祝允明手是六指,自号祝枝指生,后在民间演变成祝支山。徐树丕,自号活埋庵道人。总之都是各自内心世界的表露。

由于别号多是用来表现心志情趣的,因而随着时间、处境的变化,这些状况也必然要随之发生变化。因此,每个人一生中可以有许多个号,少则一两个,多则十几个,甚至几十个。宋代的理学家朱熹,其号有晦庵、晦翁、遁翁、沧州病叟等。明代画家唐伯虎自号六如居士、桃花庵主、逃禅仙吏等。

对号的称呼,可以自称,也可以互称,不过不论自称或互称,都要根据号的内涵和自号、称号人的各自身份、不同的处境状况而定。一般说来,自称本人之号,可以随意,但在尊者、长者面前不可自称有尊义的号,对长者、尊者不可称其有贬低之义的号,要称其有尊褒之义的号。如朱熹可以自称沧州病叟,他的学生则不可以称。章炳麟可以自称太炎,同辈、晚辈也可以称太炎先生。总之,称号要根据个体情况而定,以不失礼为原则。

宋、元以后,称别号之风盛行。达官贵人和文人墨客以称号为高雅时尚,以至于有些人的号比他的名字更为人所知。如宋代的文学家苏轼,字子瞻,号东坡;宋代的诗人陆游,字务观,号放翁;近代思想家章炳麟,字枚叔,号太炎。人们对苏东坡、陆放翁、章太炎的认知率要比对他们的名与字的认知率高得多。

二、闯荡江湖的绰号

绰号又称外号、混号、浑号、混名。绰号主要流行于下层社会的江湖帮会,在社会生活中使用的范围很广。《水浒》里的梁山好汉108人均有绰号,反映了古代社会民间盛行绰号的情景。

绰号除个别情况外,多数是他人所取名,并得到大家的公认。以《水浒》梁山好汉108人为例,可知起绰号之法主要有以下几种:

一是根据某人生理特点取号。如王英,因其身材短小,故称之为矮脚虎。杨志因其脸上有青痣,故称为青面兽。

二是根据某人性格特点取号。如秦明因其性格急躁,声若雷霆,故称之为霹雳火。石秀因其性格执直,见义勇为,故称之为拼命三郎。

三是根据某人的才能特点取号。如吴用足智多谋,故称之为智多星。林冲勇猛无敌,故称之为豹子头。

四是根据某人职业专长的特点取号。如萧让长于书法,故称之为圣手书生。花荣精于射箭,故称之为小李广。时迁善偷,则称之为鼓上蚤。

五是根据某人经常使用某种兵器的特点取号。如大刀关胜,双鞭呼延灼,双枪将董平。

绰号不拘一格,生动形象,诙谐幽默,真切地概括出一个人的特点,使人闻其号而知其人。

据上可知,名的含义多是父辈对子女的期待,字的含义多是宾朋对成丁者的祝愿,别号的含义多是本人心志的表白,而绰号多是他人对某人特点的形象评断。

避讳尊名远祸身

中国古代上从皇帝百官，下到平民百姓，避讳风俗盛行。所谓避讳，就是对君主和尊长的名字，要避免直接说出或写出，以示尊崇。一旦犯讳，无论官民，也无论有意无意，都被视为失礼或犯罪，要受到谴责甚至严厉的惩处。在中国古代社会的数千年间，避讳直接关系到每个人的生死祸福、身家性命，几乎是人人都必须知道和遵守的禁忌。

一、尊亲圣贤不言名

孔子是避讳的积极倡导者，"为尊者讳，为亲者讳，为贤者讳"即是其避讳的原则，为后世所法。名字避讳是始于古人对姓名崇拜的风俗。在古人看来，名字不仅仅是一个人的代号，也是一个人的化身，名与身是合二为一的。因此，人的名字直接关系到人一生的吉凶祸福，甚至影响到子孙后代。名字是神圣的，尊名就是敬人。因此，它不允许人们随意呼叫。

避讳有国讳、家讳、圣人讳以及宪讳等四种。国讳是国家之讳，上自皇帝下至臣民都必须严格遵守。国讳主要避皇帝本人及其父祖的名讳，后来又增加至皇后及其父祖的名讳，以及皇帝年号、谥号、陵名、生肖等。家讳仅限于家族亲属内部，家族成员不得言父祖的名字，族外人在与之交往过程中，也要避其家讳，以示敬重。家讳也是封建伦理道德的体现，所以也得到国家法律的承认。圣人讳即避封建社会的"圣人"之名，宋朝规定禁用黄帝名号，金王朝规定回避周公、孔子之名,清王朝规定孔子、孟子之名都必须敬避,以示对圣贤的崇敬。宪讳是指对上级长官名字的避讳。宪讳虽然不是法律所规定,但为习俗所必遵。对长官失敬,直呼其名,其后果是不言而喻的。

由于历代王朝避讳之处不同,避讳的方法也不尽一致,主要有以下几种:

一是改字避讳。即对帝王及所尊者之名改用字义相同或音相近的其他字代替。据文献记载,改字避讳始于秦代。如秦始皇名正,故避其讳改正为端,正月称"端月",正直称"端直"。《琅琊刻石》:"端乎法变""端直忠厚",皆以端代正。汉景帝名启,二十四节气之一的"启蛰"为避讳而改为"惊蛰",延用至今。端与正,惊与启皆字义相近。

二是空字避讳。空字即将应避讳的字空而不书,或作"某",或作"□",或直书"讳"。如《史记·孝文本纪》:"子某最长,请建以为太子。""某"即避汉景帝名"启"之讳。《隋书》为避唐太宗李世民之讳,改王世充为"王□充"。

三是缺笔避讳。缺笔避讳即将所避讳的字不写完整或最后一笔不写,以示避讳,这种避讳的方法大概始于唐代。唐高宗显庆五年(660年)曾发布诏书,令臣民不得随意改字,缺笔以避正名,可知唐代前期时缺笔避讳已经比较流行,以至于达到滥用的地步。宋代避讳极严,宋版书中讳字缺笔不少于改字,缺笔多是缺最后一笔,并在字头上注明"敬避"二字。

避讳不仅在书写中避其讳字,就是在交谈中也要避所讳的字音。由于汉字有平上去入四声,所以有时为了避一字之音而四声皆避。如对宋高宗赵构,为避其"构"字之音,乃至勾、苟等音都要避。

59

二、避讳风俗几时停

近代著名学者陈垣在《史讳举例·序》中曾总结说:"避讳为中国特有之风俗,其俗起于周,成于秦,盛于唐宋,其历史垂二千年。"名字避讳制度起源于周代。《礼记·曲礼上》说:"入国问俗,入门问讳。"周代主要避讳死者之名,如果国君崩逝,其名就要避讳。如春秋时期的晋僖侯名司徒,死后晋国为避讳改称司徒为中军。宋武公名司空,死后宋国改司空为司城以避其讳。周代的避讳制度尚处在初始阶段。

秦汉时期随着大一统的专制主义中央集权的建立与加强,作为严尊卑的避讳制度进一步发展。汉代律法规定,臣民上书言事若触犯帝王名讳属犯罪。西汉宣帝刘询,原名"病已",因他幼时养于民间,曾遭疾难,所以取名"病已"。此名容易犯讳,宣帝特地改名为"询",并下诏令昭告天下说:"今百姓多上书触讳以犯罪者,朕甚怜之。其更讳'询',诸触讳在令前赦之。"可见,他的"病已"原名已使不少百姓"触讳以犯罪",无辜受难了。到了晋代,避讳制度日臻严密,在许多方面都有严格规定,如"授官与本名同宜改""山川与庙讳同应改"等等。甚至皇后、皇太后的名字也在避讳之列,简文帝的母亲郑太后名阿春,当时凡有春字的地名都以阳字代替,如富春改为富阳,宜春改为宜阳。

晋代人还特别重视家讳,别人言谈中若涉及自己父亲、祖父的名字就得赶快哭泣,以表对父、祖之孝心。《世说新语》中就记载,东晋桓温之子桓玄一日设宴待客,有位宾客嫌酒太凉,要侍者"温一温",桓玄一听此"温"字,马上痛哭流涕,一直哭到不能出声。

唐宋时期避讳的风气越演越烈。《唐律疏议》明确规定,犯讳者将予以治罪。为了避皇帝讳,甚至不惜改动儒家的经典。如唐刻石经为了避唐太宗李世民的讳,将《诗经》中的"泄"改为"洩",将"氓"改为"甿"。不仅与君上、尊长之名同字要避讳,同音或音近的字,也归入避讳之列。如唐代诗人李贺,父名"晋肃","晋"与"进"同音,当时的士大夫竟认为李贺不应该举进士。与李贺同时代的著名文人韩愈,特地撰写了《讳辩》一文,为李贺鸣不平。韩愈在文章中尖锐地指出:"父名晋肃,子不得举进士。若父名仁,子不得为人乎?"宋代避讳更加广泛严厉。庙讳就达到 50 个字,宋孝宗时,应避讳的文字达到 278 个,文人士子遣词造句如履薄冰,举步维艰。以至于因避讳而不敢做某事、担任某官。宋司马光被遣出使辽国,但因辽主名耶律德光,司马光只好以同名难避而辞退了这一差使。北宋仁宗赵祯,因名与"蒸饼"之"蒸"音近,为避免犯讳,"蒸饼"改称"炊饼"。元朝,由于是少数民族的政权,几乎没有避讳制度了,大臣上书也敢直呼皇帝的大名。

清代雍正、乾隆之后,避讳制度愈加繁冗严苛,不但本朝皇帝及其父亲的名字要避讳,皇帝的字、年号、庙号、陵名、生肖也要避讳,对历代皇帝之名,甚至皇后及其父祖之名也要避讳。臣民稍有不慎,笔下犯讳,就要身罹大祸。雍正四年(1726 年),礼部侍郎查嗣庭主持江西乡试,所拟考题中有一道是摘自《诗经》的"百室盈止,妇子宁止",由于"止"字为"正"字去头,犯了雍正皇帝的"正"字之讳,因此,朝廷不仅将查嗣庭囚死狱中,死后戮尸,还将家属全部流放。乾隆年间,江西举人王锡侯编写了一本字书,名叫《字贯》,因书中犯了康熙、雍正的庙讳和乾隆的名讳,被以"大逆不法"之罪杀戮,同时,还株连了许多无辜的人。

1912 年清王朝灭亡,在中国延续了近 3000 年之久的避讳礼俗终于画上了句号,但余风犹在。时至今日,直呼领导人之名和父母等长辈之名,仍然被视为无礼的行为。避讳是封建专制主义的重要体现。数千年来,它严重地扼制了思想文化的健康发展,阻碍了社会的进步,是中国历史文化中的糟粕,是中华民族社会生活中的陋俗,必须彻底批判和摒弃。

百族名姓各不同

一、满族的姓名风俗

满族人的姓名，早期是继承女真人的风俗。统一全国后，多数满族人逐渐改从汉姓，名字也多用汉字。满族人姓名顺序与汉族相同，姓在前，名在后。如爱新觉罗·努尔哈赤，爱新觉罗是姓，努尔哈赤是名。

1. 姓氏概况

据清乾隆年间纂修的《八旗满洲氏族通谱》，满洲有著姓151个，中姓144个，希姓353个，计有648姓。满族称姓氏为哈拉，下分若干穆昆（即族）。满族风俗，有时哈拉和穆昆合称，如爱新觉罗中的"觉罗"为姓氏，"爱新"则为族称。满族姓氏的来源主要有以下几类：

一是沿用金代女真人旧姓。如钮祜禄氏即辽之敌烈氏，金之女奚烈氏，元之亦乞烈氏，明之钮祜禄氏；富察氏即金、元之蒲察氏，明之富车氏。

二是以居住地名为姓氏。如皇太极时的舒赛，即以世居地萨克达为姓；额驸萨克慎，世居精奇里江附近，即以精奇里为姓。

三是以部族名为姓氏。如黑龙江副都统多隆武，其先世属尼玛察部，即以尼玛察为姓；固山额真叶克书，其父属辉和部，即以辉和为姓。

四是大汗或皇帝赐予姓氏。如清初内大臣吴拜本姓瓜尔佳，努尔哈赤赐其姓觉罗；副都统布恕库本姓温彻亨，努尔哈赤赐其姓乌鲁。

五是以祖先名字为姓氏(随名姓)。一般以父祖名字第一字作为姓氏,如顾八代本姓伊尔根觉罗,但其子孙以顾为姓;万鲜丰本姓舒穆禄,其子孙即以万为姓。

六是因分居、承嗣、迁居等原因改姓。如伊尔根觉罗氏因族众繁多,分东西二寨居住,居东寨的改为巴雅喇氏,居西寨的改为蒙鄂罗氏。入主中原后,受汉族文化的影响,满族人开始冠汉姓。如辉和氏取汉姓何,完颜氏取汉姓王等。

目前,满族人数最多的八大姓有:佟佳氏(佟)、瓜尔佳氏(关)、马佳氏(马)、索绰罗氏(索)、齐佳氏(齐)、富察氏(富)、纳喇氏(那)、钮祜禄氏(郎)。

2. 命名风俗

满族人非常重视命名,一般是在婴儿满月后摆酒设宴,邀请宾朋而行。

满族人的传统取名原则:

一是以出生顺序命名。如长子名阿吉或阿吉嘎,次子名扎琴或扎琴嘎,最末一个儿子名费扬古。

二是以出生时长辈年龄命名。如轻车都尉那丹珠(七十),即是于其父硕岱70岁时所生。

三是以希望、祝愿命名。如巴扬阿(富有)、哈丰阿(平安)、阿克敦(结实)、古尼音布(坚强)、莫尔根(神箭手)。

四是以动植物命名。男孩多采用勇猛的禽兽命名,如佳珲(鹰)、阿尔萨(狮子)、努尔哈赤(野猪皮);女孩多采用美丽的花鸟命名,如噶卢岱(凤)、托津(孔雀)、丰克里宜尔哈(蕙兰花)。

五是以出生季节、时辰命名。如勇阿里(春季)、哈尔浑(夏季)、依汗(丑时)、梅赫(巳时)。

入关以后,随着汉族文化影响的加深,满族人逐渐使用

64

汉语词汇取名,如永祥、富祥、代善、琦善、寿山、荣禄、裕禄等寓意吉祥的字眼成为人们的首选。

二、蒙古族的姓名风俗

蒙古族人的姓名排列顺序类似汉族,也是姓在前,名在后。如成吉思汗的姓名是孛儿只斤·铁木真,其中孛儿只斤是姓,铁木真是名。

1. 姓氏概况

蒙古族人只有族姓,没有严格意义上的家姓。据宝玺所撰《蒙古姓氏》可知,蒙古族有近 600 个古今姓氏。

蒙古姓氏的来源有以下几种:

一是源于部落名。如者勒蔑就是以所属部落兀良哈为姓,类似的有乞彦、轶靼、乃曼等姓。

二是源于氏族名。如成吉思汗就是以所属氏族孛儿只斤(博尔济特)为姓,类似的有弘吉剌、泰赤乌、巴苏德等姓。

三是源于祖先名。如脱脱不花即是以其祖先蔑儿乞驼·脱脱的名字为姓,类似的有别勒古台、巴林、木华黎等姓。

四是源于山水名称。如乌珠穆沁源于其发源地阿尔泰山脉葡萄山,类似的有博通古德、爱日嘎德、温真等。

五是源于地名。如呼和那塔是指青海湖,类似的有海拉苏德、呼鲁苏太、夏日高勒等。

六是源于职业。如阿都沁(牧马人)、鄂尔多斯(守卫者)等。

七是源于职位。如都达鲁花赤(镇守者)源于元代官职,类似的有台吉(爵位名)、答剌罕(武官职位)等。

八是源于历史上的特殊称呼。如奥鲁源于蒙古人出征时的留守部众的称呼,类似的有达尔扈特、豁尔臣(科尔沁)等。

清末民国以来,因汉族文化的影响,部分蒙古族人把姓氏改为单姓,并以汉字为载体。蒙姓汉译主要有两种方法:一是意译,即根据蒙姓的意思译成对应的汉字。如敏罕意为千,故以汉字谐音钱为姓;鸟古纳意为羊,便以汉字谐音杨为姓;其他如查干译为白、哈塔靳译为石、吐木德译为万等。二是音译,即将蒙姓中的第一个音节音译成汉字。如兀良哈译为乌、吴、武等,孛儿只斤译为宝、包、鲍等,乞颜译为奇、齐、祁等,杜尔伯特译为杜、陶,伯颜译为白等等。

2.命名风俗

蒙古族人一般在孩子出生后第七天,请受人尊敬的长者或喇嘛来为其命名。

蒙古族男女所用命名词汇不尽相同。男子命名习惯于:

一是以古代公认的社会尊者命名。如巴特尔(英雄)、必勒格(智者)、莫日根(神箭手)、彻辰(贤者)。

二是以贵金属或坚硬金属命名。如阿勒坦(金)、孟恩(银)、特木尔(铁)、宝力道(钢)等。

三是以长辈的期望和祝愿命名。如巴图(结实)、那苏图(长寿)、白音(富足)、吉日嘎拉(幸福)等。

四是以出生时祖父的年龄命名。如塔宾(五十)、吉仁台(六十)、达楞(七十)、乃颜(八十)等。

五是以勇猛矫健的动物命名。如巴尔思(虎)、阿思兰(狮)、布日古德(鹰)、不花(牛)等。

六是以自然万物命名。如朝鲁(石头)、沐仁(河)、达赖(大海)、塔拉(原野)等。

女子命名则习惯于:

一是以日月星辰为名。如娜仁(太阳)、萨仁(月亮)、敖登(星星)等。

二是以花草树木为名。如萨日朗(山丹花)、琪琪格(花儿)、琪木格(花蕊)、娜布其(叶子)等。

三是以珠宝玉器为名,如:哈斯(玉石)、塔娜(珍珠)、阿拉坦高娃(金子般美丽)等。

四是以聪慧美丽为名。如斯琴(聪颖)、乌云(智慧)、高娃(美丽)等。

由于受喇嘛教的影响,蒙古族人的名字还有一些藏名或梵文名。如敖其尔(法器)、巴德玛(莲花)、尼玛(太阳)、道尔吉(月亮)、卓玛(仙女)等。

三、维吾尔族的姓名风俗

维吾尔族人的祖先曾有过传统的姓名:其姓一般源于部落名、前辈名或居住地;其名或是源于月亮、星星等自然物名称,或是源于菩萨、法渊、宝藏、小乘都、法轮等与佛教有关的称谓。伊斯兰教传入后,维吾尔族的命名习俗发生了变化。现今维吾尔族人一般只有名而无姓,实行父子连名。其格式是本名在前,父名在后。如司马义·艾买提,司马义是本名,艾买提是父名。

维吾尔族人一般是在婴儿出生后的第七天,请阿訇到家里来为其命名。

维吾尔族人命名内容十分丰富,范围广泛而多样,具体方式和内容主要有:

一是以族名、部落名命名。如乌依古尔等。

二是以父祖名命名。如谢尔婉汗给其孙女起名为谢尔婉克孜。

三是以居住地命名。如古力热古丽(伊犁的花)等。

四是以美好愿望命名。如男名阿曼(平安)、沙拉买提(健康)、地里达尔(如意);女名奴日汗(光芒)、古再丽(美丽)、帕里黛(仙女)、迪里拜尔(如意)等。

五是以出生时间、季节或节日命名。如男名热介甫(七月),女名巴哈尔古丽(春天的花);古尔邦节出生的男孩叫库尔班江,女孩叫库婉汗。

六是以自然界事物命名。以日月星辰命名的女名阿依汗(月亮)、尤里吐孜汗(星星);以山川命名的男名博格达(博格达山),女名帕米尔克孜(帕米尔姑娘);以动物命名的男名西日阿洪(狮子),女名托依汗(孔雀);以植物命名的男名沙木沙克(大蒜)、帕沙阿訇(玉米叶子),女名阿娜尔汗(石榴)、塔吉古丽(鸡冠花);以金属命名的男名铁木尔(铁),女名阿勒同汗(黄金);以珠宝命名的女名买尔瓦依提汗(珍珠)、祖木来提汗(绿宝石)等;以器物命名的男名帕勒塔洪(斧子)、谢木谢尔(宝刀)。

七是与宗教文化相关的命名。如毛拉(知识分子)、艾沙(耶稣)、斯拉木(伊斯兰教)、胡达拜尔地(真主给的)。男名中最常见的买买提、买提、买木买提、买合买提都是穆罕默德的音译或变体。

八是以"王"或官职命名。如男名苏里唐(王)、阿克木(县长),女名帕夏汗(王)、汗克孜(皇姑)等。

维吾尔族人还喜欢在名字后面加注表明其社会地位、职业、威望的尊称,或是体现生理特征、人品评价的尾缀。如在男人名字后面加上"牙日"(幸福伴随你,或安拉和你在一起)、"卡日"(能背诵《古兰经》的人)、"阿訇"(先生)、"江"(生命)等后缀都是表示尊重。同样是表示尊重或赞美,南疆地区喜欢在女人名字后面加上"汗"(国王),而北疆地区则喜欢在女人名字后面加上"克孜"(姑娘)、"古丽"(花儿)。

四、藏族的姓名风俗

藏族人并不是所有人都有姓氏。一般平民只有名,没有姓,只有少数祖先是贵族的人才有姓氏。公元 7 世纪,吐蕃赞普松赞干布分封有功之臣以领地。受封之人把领地名冠于名前以显示地位和官位,久而久之演化成姓氏,如涅、吞弥等。后来贵族、土司、头人、巨商、大户及活佛的职务、封号、尊号等也逐渐演化成姓氏,如阿沛、班禅额尔德尼等。

藏族人的姓名排列顺序是姓在前,名在后。如阿沛·阿旺晋美,阿沛是姓,阿旺晋美是名。藏族人名以四个字居多,如多吉次旦、索朗旺堆等;也有一些人名只用两个字,如尼玛、次仁、达娃等。藏族人一般是在婴儿快满月之时,由活佛、喇嘛或本家族中德高望重的老人及父母来为其命名,也有在孕期就请活佛提前取名的。

藏族人命名范围甚广,除了“你”“我”等代词外,皆可作为藏族人的名字。就命名时借用的事物而言,主要有以下类型:

一是以佛、菩萨、保护神的名号命名。如南色(天子)、先巴(弥勒)、卓玛(度母)等。

二是以佛教术语命名。如宗哲(精进)、散木旦(禅定)等。

三是以佛教法器等命名。如多杰(金刚)、坚参(法幢)等。

四是以吉祥语命名。如扎西(吉祥)、才让(长寿)、达杰(昌盛)等。

五是以日月星辰命名。如南卡(天空)、达哇(月亮)、尼玛(太阳)等。

六是以动植物命名。如梅朵(鲜花)、白玛(莲花)。

七是以出生日期命名。如朗嘎(三十日)、次松(初三)等,或米玛(星期二)、巴桑(星期五)等。

藏族男女名字区别较为明显。如果名字最后一字为"登"(如更登、扎登)、"让"(如泽让、路让),一般为男名;名字最后一字为"措"(如泽让措、尼么措、仁青措)、"姆"(如娜姆、让姆、泽让哈姆),则一般为女名。

由于同名现象较为普遍,人们常用被称呼者的籍贯、处所、年龄、外貌、生理特征、性别及职业来区分。如亚东旺堆、仁布旺堆中的"亚东""仁布"都是地名;尕让泽旦(铁匠泽旦)、拉若泽旦(画师泽旦)则是以职业区别人名。

出家为僧的藏族人不再使用俗名,而是在剃度后取个法名。上层僧人会将自己名字的一部分赐给小僧,如某堪布的名字是江白赤烈,则他给小僧起的名字便可能是江白多吉、江白平措或是江白格烈等。如果能晋升到上层僧职,其名字便要加上僧职或封号,如堪布·伦珠涛凯。而在活佛的名字前面,一般应加上寺院或家族名字,如东嘎寺的活佛洛桑赤烈,全称叫作"东嘎·洛桑赤烈"。

中国姓氏名号风俗是中国古代精神文明中最富有民族性的重要组成部分,是中华民族价值观、历史观、伦理观、宗教观、审美观的综合体现,是中华传统文化内藏丰富的巨大宝库。一个人的姓氏名号就是一部历史,一串串上传下承、左连右横的姓氏名号就是一部中国大通史。试想如果没有伏羲、燧人、神农(炎帝)三皇,没有黄帝、颛顼、帝喾、唐尧、虞舜五帝,没有嬴政秦始皇,没有陈胜、吴广……没有孙中山、毛泽东等等各种各类人的名字及系于其名下的言论事迹,还会有什么具体而鲜活的历史吗? 在以往数千年的社会发展过程中,正是那一个个、一串串的姓氏名号,留下了历史发展的足迹,成为人们解读历史的密码。如史学家根据名字时代性的特点,通过对司马耕字子牛,冉耕字伯牛的分析,确定了春秋战国之际已经出现了先进生产力牛耕;通过对南北朝时期少数民族的名字大量出现在中原地区,后来又大量改用汉姓汉名的情况,明确了民族大融合的状况;根据姓氏分布的变化,追踪到了居民迁徙的路线;社会学家和心理学家根据姓氏名号的内涵,揭示出了隐藏在其后的民族心理;而文学家更是把姓氏名号文化融入到文学创作中。曹雪芹《红楼梦》中的人物命名取号,选姓定字,为小说人物塑造增添了艳丽夺目的光彩,如此等等。姓氏名号文化是研究历史学、社会学、文学、民族学、考古学、文字学、地理学、人口学、遗传学等诸多学科不可或缺的窗口。姓氏名号文化更是中华民族凝聚力的黏合剂。古人往往把同姓即视为同族同宗。"五百年前是一家",是风行历代的俗语。唐太宗李世民把老子李耳视为先祖。由于中国的许多姓氏都是由黄帝姬姓、炎帝姜姓繁衍而来,所以海峡两岸和世界各地的华人都自认是炎黄子孙。同姓同宗,血脉之情,油然而生。这种由传统姓氏名号文化所承载的求本溯源意识,早已经积淀为中华子孙的共同心理,在凝聚民族亲情感、增强民族生命力和提高民族自信心等各个方面,都具有无可替代的作用,而这也正是它迄今影响犹盛的根本魅力所在。中国姓氏名号文化源远流长、博大精深,它将随着中华民族的脚步,继续在中华民族文明史上扮演重要角色,发挥更大的作用。

原典选读

《白虎通义·姓名》节选

《白虎通义》是中国汉代讲论五经同异,统一今文经义的一部重要著作。班固等人根据东汉章帝建初四年(公元79)经学辩论的结果撰集而成。《白虎通义》以神秘化了的阴阳、五行为基础,对自然、社会、伦理、人生和日常生活的种种现象进行解释。

人所以有姓者何? 所以崇恩爱、厚亲亲、远禽兽、别婚姻也。故礼别类,使生相爱,死相哀,同姓不得相娶,皆为重人伦也。姓生也,人所禀天气所以生者也。《诗》云:"天生烝民。"《尚书》曰:"平章百姓。"姓所以有百何? 以为古者圣人吹律定姓,以记其族。人含五常而生,声有五音,宫、商、角、徵、羽,转而相杂,五五二十五,转生四时,故百而异也。气殊音悉备,故殊百也。

所以有氏者何? 所以贵功德,贱伎力。或氏其官,或氏其事。闻其氏即可知,其所以勉人为善也。或氏王父字何? 所以别诸侯之后,为兴灭国、继绝世也。诸侯之子称公子,公子之子称公孙,公孙之子各以其王父字为氏。故鲁有仲、叔、季,楚有昭、屈、景,齐有高、国、崔立氏三,以知其为子孙也……尧知命,表稷、契,赐生子姓。皋陶典刑,不表姓,言天任德远刑。禹姓姒氏,祖以苡生。殷姓子氏,祖以玄鸟子也。周姓姬氏,祖以履大人迹生也。

人必有名何? 所以吐情自纪,尊事人者也。《论语》曰:"名不正,则言不顺。"三月名之何? 天道一时,物有变,人生三月，目煦亦能笑，与人相更答，故因其始有知而名之。故《礼服传》曰："子生三月，则父名之于祖庙。"于祖庙者，谓子之亲庙也，明当为宗祖主也。一说名之于燕寝。名者，幼少卑贱之称也，寡略，故于燕寝。《礼·内则》曰："子生，君沐浴朝服，夫人亦如之。立于阼阶西南，世妇抱子，升自西阶，君命之士。适子执其右手，庶子抚其首。君曰'钦有帅'，夫人曰'记有成'。告于四境。"四境者，所以遏绝萌牙，禁备未然。故《曾子问》曰："世子生三月，以名告于祖祢。"《内则》记曰："以名告于山川、社稷、四境。天子太子，使士负子于南郊。"以桑弧蓬矢六射者何也？此男子之事也，故先表其事，然后食其禄。必桑弧何？桑者，相逢接之道也。《保傅》曰："大子生，举之以礼，使士负之者何，斋肃端绥，之郊见于天。"《韩诗内传》曰："太子生，以桑弧蓬矢六，射上下四方。"明当有事天地四方也。

名或兼或单何？示非一也。或听其声，以律定其名；或依事，旁其形。故名或兼或单也。依其事者，若后稷是也。弃之，因名之为弃也。旁其形者，孔子首类鲁国尼丘山，故名为丘。或旁其名为之字者，闻名即知其字，闻字即知其名，若名赐，字子贡；名鲤，字伯鱼。

人所以有字何？冠德明功，敬成人也。故《礼·士冠经》曰："宾北面，字之曰伯某甫。"又曰："冠而字之。"敬其名也。所以五十乃称伯仲者，五十知天命，思虑定也。能顺四时长幼之序，故以伯仲号之。《礼·檀弓》曰："幼名，冠字，五十乃称伯仲。"《论语》曰："五十而知天命。"

称号所以有四何？法四时用事先后，长幼兄弟之象也，故以时长幼，号曰伯、仲、叔、季也。伯者，长也，伯者子最长，迫近父也。仲者,中也。叔者,少也。季者,幼也。适长称伯,伯禽是也。庶长称孟,以鲁大夫孟氏。

男女异长,各自有伯仲,法阴阳各自有终始也。《春秋传》曰:"伯姬者何? 内女称也。"妇人十五称伯仲何? 妇人值,少变。阴阳道促蚤成。十五通乎织纴之事,思虑定,故许嫁,笄而字。故《礼经》曰:"女子十五许嫁,笄礼之,称字之。"妇姓以配字何? 明不娶同姓也,故《春秋》曰:"伯姬归于宋。"姬者,姓也。

敬爱亲和——人际礼仪风俗

　　中国自古以来就有"礼仪之邦"的美称,中华民族历来以彬彬有礼著称于世。以礼敬长,以礼爱亲,以礼和睦朋友乡邻,历代相因,沿袭成俗。何谓礼?《管子·五辅》说:"上下有义、贵贱有分、长幼有等、贫富有度,凡此八者,礼之经也。"可知礼就是强调差别,区别等级,使每一个人在社会生活中都固定于一个相应的位置,如君臣、父子、长幼、尊卑等等。由于有身份的差别,人们之间的关系体现为卑者对尊者、幼者对长者的尊敬与服从,或者相同等级间的互相尊重、平等相待。何谓仪?礼作为一种体现人与人之间的行为规范,不是空洞的,而是通过具体的体现差别的物(如车、马、服、饰等)、做出的各种仪容动作(如跪、拜、鞠躬、握手等)、所表达的各种语言(如敬称、自谦、婉辞等)体现出来的。各种体现差别的物、仪容、动作及不同的语言表达方式等即为仪。可见,礼是体现差别、表示敬意的规定,仪则是各类差别和敬意的表现形式。概括而言,礼仪就是在人际交往中,根据各自不同的社会地位,在不同的场合,用以表达敬意的行为准则和交往规范。这种得到社会的普遍认同并长久沿用的行为准则和交往规范,即为人际礼仪风俗。

跪坐立走皆有礼

在各类人际交往活动和祭祀活动中，为了表达对人、神的崇敬、畏服或感激之情，身体的各部位做出种种示意的动作，如折腰、屈膝、拱手、叩头等等，称为行礼。所礼敬的对象地位不同、场合不同，行礼的姿势也各有差异，各种不同的礼姿称为仪节。尊卑有别、贵贱有等、长幼有序之礼，即由各种不同的仪节体现出来。古代汉族人相见行礼有跪、坐、站、走四种基本姿势。

一、跪姿礼

1. 跪

跪是表示崇高敬意的大礼。古代跪与坐相似。跪为屈膝，两膝着地，腰身挺直，之后俯身，两手着地，脚跟与臀部相离。臀部抵在两脚跟上为坐;挺身直腰之跪称为长跪,又称为跽;俯身,两手着地称为跪伏。最初,跪的本身还不是一种大礼,只是行拜礼前的一个预备姿势,后来成为一种独立的礼。

2. 拜

拜究竟是什么样的仪姿,古今学者释说不一。《说文解字》云:"拜,首至地也。"段玉裁《说文解字注》则说:"拜,首至手也。"他认为拜见就是《周礼》中所说的"空首",即其他诸经书中所说的"拜手"。拜就是拜手的省称。什么是"首至手"呢? 就是"既跪而拱手而头俯至于手,与心平,即是头至手。头不至于地,即是空首。对稽首、顿首之头著地言也。"段玉裁的释说是正确的。空首即是拜。以头加手而跪,表示敬意的程度更深,因而又称为拜手。拜是男子的通常礼仪。身份平等者之间可用,卑者对尊者、尊者对卑者也可以用。古人席地而坐,表示感谢、表示亲敬,可以随时行拜礼。如《论语·乡党》:"康子馈药,(孔子)拜而受之。"拜是礼中示敬较轻的仪式,所以国君答臣下也常用拜礼。

据《周礼·春官·大祝》载,拜仪分为多种:除了空首以外,还有稽首、顿首、稽颡。

3. 稽首

郑玄说:"拜,头至地。"稽首行礼的仪姿是屈双膝跪地,继而拱手至地,手仍不分散,左手按在右手上,俯身,头也缓缓至于地,手在膝前,头在手前,头抵地后停留片刻抬起。稽有留止之义,由于行礼时,头在地稽留片刻,因而称为稽首。稽首往往是与拜相配行。一拜一稽首称为拜稽首。如《左传·僖公二十三年》:"公子降,拜稽首。"二拜一稽首称为再拜稽首。如《左传·僖公二十八年》:"重耳敢再拜稽首。"稽首是拜礼中最重的礼仪。《白虎通·姓名》:"必稽首何? 敬之至也。"一般用于祭祀天地、祖宗,诸侯拜天子,臣拜国君,子拜父等重要的礼仪场合。身份地位等同者,一般不行稽首礼而只行拜礼。

4. 顿首

郑玄说:"顿首拜,头叩地。"后世俗称叩头。其仪姿是跪而拱手至地,如稽首仪,只是稽首头轻缓至地,稍做停留。顿首则是头快速频频叩地。顿有快之意,所以称为顿首。顿首礼多是用于表示哀求或表示谢罪等场合。如《左传·定公四年》载:吴破楚都郢,楚臣申包胥奔秦国求救,"立依于庭墙而哭,日夜不绝声,勺饮不入口七日",得见秦哀公,"九顿首而坐",秦乃同意出兵救楚。

5. 稽颡

稽颡主要是用于居丧期间答拜前来吊丧宾客的礼仪。《仪礼·士丧礼》:"吊者致命,主人哭拜,稽颡成踊。"颡者,额也。叩地的部位用额,所以称为稽颡。但稽颡与顿首略有差异。稽颡之稽义为留止。即是说稽颡叩地时要停留片刻,这与顿首头频频叩地显然不同。稽颡又不同于稽首。稽颡与稽首虽然都是头至地而有所停留,但稽首是头至地轻缓不叩,而稽颡则是头至地而叩。礼仪的细微区别体现不同的内涵。稽首头至地轻缓深沉而稽留,表示出了对长上的无比敬服;顿首频频叩地有声,表示出了急切的哀求心情,而稽颡额头叩地而稽留,既体现了失去亲人的极度悲痛,又表达了对吊丧宾客深切的感激之情。

6. 膜拜

膜拜是表示极端崇敬的礼仪,所以有"顶礼膜拜"之说。其行礼的仪姿是两膝跪地,先举两手加于额,再拱手至地稽首。

二、坐姿礼

在宋代以前,无椅凳,人皆席地而坐。坐姿也与现在不同,是以两膝着地,两股贴于两脚跟上,类似于今日的跪,但跪是两股不贴两脚。根据《礼记·曲礼》等古籍记载,坐的礼仪有以下几个方面的要求。

1. 坐如尸

尸是古代祭祀中代表死者受祭的人。尸居神位,坐必端正严肃。要求一般人在公众场合,或会见客人时,必须要腰直胸挺,双目正视,容貌端庄,即所谓的正襟危坐,不能箕坐。箕坐又称为箕踞,其姿势是两腿叉开前伸,上身直立,形如簸箕。这是一种随意轻慢的坐式,古人认为不合礼节。不重礼节的汉高祖刘邦,常以这种坐姿待人。《史记·田叔列传》:"赵王张敖自持案进食,礼恭甚。高祖箕踞骂之。"

2. 坐不中席

古代的席是用蒲草编织而成的薄垫,多是长方形,铺于地上,可坐可卧。一张席可坐四人,共坐时分坐四端。因此,普通人不能坐在席中间,坐在中间是一种傲慢无礼的行为。同时也不能横着膀子坐,挤凌别人。尊者可以独坐一席,居中而坐。

3. 偏席不坐

席在堂室中必须放正。席的四边必须与四面墙平行,位置适当。因此,《论语》记载孔子是"席不正,不坐"。就席的时候,从席的后边或旁边走到席的一角坐下,不能从席上踩踏而过。

4. 虚坐尽后

除吃饭以外,坐席要尽量靠后,以表示谦敬。吃饭要尽量靠前,这是因为古时用小几放盘吃饭,只有靠前才便于吃饭,不失礼。在席上拿东西交给站着的人,要保持坐姿不能变成跪式,因为那样会显得自己低贱。如果是拿东西给坐着的人,则不能站起来,那样会使接者仰视而自感低下。

5. 座次尊卑

在坐的礼仪中,座的位次非常重要。它是尊卑长幼之别的体现。场所不同,所会聚的人不同,座次尊卑也有所区别。这种区别主要是通过方向体现出来的。据清代经学家凌廷堪《礼经释例》考证:"室中以东向为尊,堂上以南向为尊。"这一见解是正确的。古代贵族的房屋是堂室结构的。平民多是只有室而无堂。堂与室只是一墙之隔,前(南)为堂,后为室。堂多是举行庆典、祭祀、盛宴的地方。室是居住的地方,也举行各类活动。室与堂中座次有所不同。室内座次以居西面向东之位为尊。其次是居北面向南,再次是居南面向北,最后是居东面向西。在堂中是以南向为最尊。即坐在北墙下居中,面向南。居南面向北之位最卑。所以皇帝是"南面称孤",众官是"面北称臣"。居西面向东或东面向西的坐位尊卑因朝代不同而异。史家考证,夏、商、周三代,以左为尊;春秋、战国时期以右为尊;汉代尊右。《史记·廉颇蔺相如列传》说:"(赵王)以相如功大,拜为上卿,位在廉颇之右。"张守节《史记正义》云:"秦、汉以前用右为上。"唐宋尊左,元朝尊右,明朝先尊右而后尊左,清朝尊左。虽然历代右左尊卑不一,但最尊者居北面南或居西面东是不变的。夫妻二人在室中,其座次是夫居西面向东,妻居东面向西,相对而坐,男尊女卑。

三、立姿礼

立姿礼包括站立之礼和行走之礼。

1.站立

俗云:"坐有坐样,站有站相。"站立和行走也皆有礼仪规范。站立要"立如斋""立必方正""立毋跛"。即站立要像祭祀前斋戒时那样端庄持敬,挺直端正,不能一脚踏地,另一脚虚点地,像瘸子一样身体倾斜。要体现出谦恭有礼,明辨尊卑上下。也不能站在门的中央,妨碍他人的出入,即所谓的"立不中门"。当已经有两个人并立时,不要插在他们中间站立,即"离立,毋往参焉"。

2.拱

亦称拱手。其仪姿是身体立正,两臂如抱鼓伸出,一手在内,另一手在外叠合。拱手礼有吉凶之分。行吉礼,男子左手在外,女子则右手在外;行凶丧之礼,男子右手在外,女子则左手在外。男为阳,尚左;女子为阴,尚右。吉事为阳,凶丧之事为阴。故两手叠合有别。拱礼常用于见面或答谢时致敬。既可以用于身份平等的人,也可以用于礼敬长上,尊长者也可以用拱礼作答。

3.揖

与拱礼相似,也是身体站立,左右两手在胸前一里一外叠合。行拱礼是身体不动,手也不动,即所谓垂拱、立拱。揖礼则是由胸前向外推手,略俯身。《说文解字》云:"揖,攘也。手着胸曰揖。"攘即是推。揖礼是表示轻微敬意之礼。因此,根据施礼对象身份的不同,揖姿也略有区别。揖身份相等的人,手向前平推,称为时揖;揖身份低于自己的人,向前推手稍稍向下,称为土揖;揖身份尊于自己者,行长揖之礼,即行礼时站立俯身,拱手高举,从上移至最下面。单独对一个人行揖礼,叫作"特揖";向群众行揖礼,叫"旅揖";向左右两侧的人行揖礼,叫作"还揖"。揖礼与拱礼是古人最常用的站立礼。

清代作揖礼

4. 肃

肃为军礼,即长揖之礼。清代学者黄以周认为肃与肃拜不同。他说:"肃拜者,跪而俯下手也。肃者,立而俯下手也。"黄以周的释说确为精见。《礼记·曲礼上》:"介者不拜。"因为军中将士甲胄在身,不便于跪俯,所以不行跪拜之礼,只能行肃礼。行礼时,仰视而拜,称为占拜,以示庄重。《后汉书·虞延传》:"延进止从容,占拜可观。"

5. 唱喏

唱喏为男子相见礼,是对揖礼的一种发展。古代行揖礼只是举手而无声。东晋时期,人们在行揖礼的同时又口颂敬词,如"久仰久仰""敬请光临"之类,称为唱喏。后来又有问候起居寒暖之类的客套话,称为寒暄。据宋人陆游说,唱喏是始于东晋江左的王氏家族。由于唱喏是边揖边颂,能增加恭敬的程度,所以易于被人们所接受。唐宋时期成为一种颇为流行的礼仪。唱喏不仅与揖礼相配合,也常与鞠躬、拱、叉手等礼相配合。

6. 道万福

女子行礼时,口称"万福",表示礼敬祝贺。女子的道万福与男子的唱喏是属于同一性质的礼仪。流行于唐宋时期。

道万福的仪姿是：行礼时，双手手指相扣，放在左腰侧，弯腰屈身以示敬意。

7. 免冠

免冠即脱帽行礼。冠为首服，古人最重冠冕。男子成年时，要举行冠礼。戴冠意味着成为正式的社会成员。冠是人格和尊严的象征。据《左传·哀公十一年》载，孔子的弟子子路作战受重伤，死前不忘重新系好冠缨，说道："君子死，冠不免。"免冠行礼表示降低自己的身份，向受礼者认错或谢罪。《史记·魏公子列传》："平原君乃免冠谢，固留公子。"免冠也表示致敬。冠是至尊之服，免冠表示自己不敢为尊，所以有致敬之义。

8. 鞠躬

鞠躬为敬惧恭谨之容。鞠躬的仪姿是身体曲敛，形如弯弓。但先秦时期的鞠躬与后世的立正、鞠躬礼不同，可以是走路时的仪姿。如孔子"入公门，鞠躬如也"，"摄齐升堂，鞠躬如也"，也可以是恭直时的仪姿，如孔子"执圭，鞠躬如也"。严格地说它还不是一种致礼之仪。大约魏、晋以后，鞠躬始成为一种致敬的礼仪。金、元、明、清时期，鞠躬礼为拜天地鬼神、君主、长上的重要礼仪之一。《金史·礼志九》记大金国朝参仪："文武百僚……至丹墀之东，西向鞠躬毕。"清代的满族人日常通行鞠躬礼。《柳边纪略》载："满人相见，以曲躬为礼，久别相见则相抱。"其仪姿是身体直立，脚跟靠拢，两臂下垂于两腿侧，五指合掌，目视受礼者，上身向前曲躬，一次为一礼。官员之间有时也行鞠躬礼，如亲王出行，贝子、镇国公等要让道于旁，勒马鞠躬。

辛亥革命推翻了专制主义的帝制，1912年南京政府刚一成立，孙中山先生即宣布取消屈辱人格的跪拜礼，以鞠躬礼为常礼，这使汉族几千年的礼仪习俗发生了根本性的变化。

袁世凯窃居大总统之位以后,迫于形势,也不得不宣布:男子礼节为脱帽鞠躬(以右手脱帽),大礼三鞠躬,常礼一鞠躬,寻常相对,只用脱帽礼。女子之礼大致相同,唯不脱帽,专行鞠躬礼。从此,鞠躬礼成为中国社会的常礼。鞠躬礼是卑幼者先向尊长者致礼,尊长者随即脱帽答礼。

9. 握手

握手礼仪是当今汉族人最常见的相见礼,它是从西方传入的。19世纪我国学者辜鸿铭在英国曾这样评价中西方礼节:"你们见面拉人家手多别扭,我们中国人见面拉自己的手多斯文。"可见握手礼传入中国最多只有百多年。握手礼虽然看似简单,实际上也有许多习俗性的规范。其礼基本上是应用于四种场合:一是用于见面,表示热情欢迎,相互致意;二是用于告别,表示祝愿平安,以后加强联系,增进友谊;三是用于表示感谢;四是用于表示祝贺。握手的礼姿:面带微笑,目视施礼者的眼睛,两足立正,四指并拢,拇指张开,伸出右手,身体略前倾,端庄大方;握手时手要上下摆动几次,轻重适度,然后松开。人多握手时要讲究次序:上下级之间,下级要等上级先伸手;晚辈长辈之间,晚辈要等长辈先伸手,以示尊敬。为表示更加尊敬和热情,下级、晚辈可用双手。男女之间,男士要等女士先伸手;如果女士无握手之意,男士点头或鞠躬致意即可。行握手礼需要注意:一是不能东张西望,不能握得太草率,不能戴手套,否则是不尊敬别人的表现;二是不能握的太重、时间太久,特别是异性,否则是粗野的表现。

10. 举手

举手礼仪是清代后期从欧洲传入的礼仪。民国时期主要是实行与军队和学校的见面礼。下级对上级,年幼者对年长者要先敬礼,上级或年长者还礼。行礼时身体成立正姿势,右手伸直并拢,上举至帽沿右侧,手掌微向外,右上臂与肩齐,双目注视对方,待受礼者答礼后方可将手放下。

四、走姿礼

行走在不同的地方也有不同的仪节。《礼记·曲礼上》说:"堂上接武,堂下布武,室中不翔。"武,即足迹。在庄重的堂上走,要接武,即向前迈的脚在紧挨着后一只脚处落地,脚印一个接一个;在堂下普通的地方,要布武,即是可以自由行走,足迹不相连接;翔,本义为飞翔,即是在室内行走时手臂摆动要小,不要像鸟飞那样挥动双臂,因为室内空间小,"翔"则会碰到别人,也显得轻飘。走路行走要有"行不中道"。古代路面分左中右。尊者行中道,卑者行两侧。不行中道,以示谦恭有礼。在升阶入堂时,作为主人,要请客人先上台阶;作为客人,则要谦让主人先上。登阶不能一步一个台阶,要"拾阶聚足",即前脚登上一个台阶,后脚与之并齐,然后再上,以示稳重端庄。"将上堂,必声扬"。如果不是主人陪着登阶升堂,一定要大声报知主人,使主人预知。"将入户,必视下","行不履阈"。因为户内属私居之室,视之则不敬,不得举目而视。进屋时,不要踏踩门坎,要轻轻跨过。如果是去拜见或迎接尊者、长者,或是在尊长面前走过时,要"趋而进"。趋礼是卑者、晚辈迎见尊者、长辈,或主人迎宾之礼。所谓的趋,即是面容谦恭,低头弯腰迈着小而快的步伐,表示恭敬。如果是大步快跑,显得慌乱;昂首阔步则显得傲慢。《论语·乡党》记载孔子奉君命去迎接外宾时,"趋进,翼如也"。快步向前,像鸟儿展翅一样。礼节得体,颇得称赞。

在中国古代四种礼姿中,跪拜姿礼仪是最主要的礼仪形式,它不但行之于朝廷,行之于官府,还行之于家庭和宗教等社会的各个方面,延续数千年而不衰,是中国古代礼仪风俗的突出特色。其原因是和礼的起源分不开的。礼起源于饮食分配。礼作为一种体现"贵贱有等、长幼有差"的行为规范,归根到底是由社会的物质基础决定的。饮食乃是人生的第一需要,是最基本的物质需求。原始社会中,由于社会生产力极其低下,食物非常贫乏。人与人最早的社会性差别就是体现在食物分配上。强者、长者即是尊者,他们是食物的垄断者。弱者、卑者、幼者以躬身、屈膝的方式向强者、尊者、长者进献食物或领取食物,以表示自己的恭顺敬畏之意。这种在饮食上尊卑有别、长幼有序的行为规范就是最早的礼。当人类社会出现宗教观念之后,又把这种敬强尊长的礼仪用于敬神,于是又有了跪拜敬神的礼仪。进入阶级社会后,国君、大家族长是生产资料的垄断者,食物的分配者,而神则是他们折射在天国的影子。因此产生于原始社会表示尊卑的习俗进而被改造成为礼制,以跪拜叩头的形式表示尊者地位的神圣、贱者人格上的屈从卑微。礼仪作为一种上层建筑形态,它必然是随着经济基础的变化、时代的变化而变化的。当清王朝灭亡,最后一个封建皇帝被推翻以后,"普天之下莫非王土,率土之滨莫非王臣"的历史一去不复返了。人们的衣食再也不是皇帝和大家族长赏赐的了。有了经济的独立,才有人格的自尊和平等,跪拜礼仪消失,站立礼仪盛行。

相见宴宾重礼仪

拜访相见，宴请宾客，无论是建立私人情谊还是开展政治交往，都是人际交往中不可缺少的活动。因此拜访相见礼仪和宴宾礼仪是经常用到的，从古至今都非常受重视。

一、拜访相见礼仪

拜访相见礼仪步骤及规范大体如下：

1. 执贽求见

宾客初次会见主人，或者有要事相见，都必须执贽。贽是宾客拜见主人时所携带的礼物。宾客的地位不同，所执的贽品级也不同。高级贵族以圭、璧等玉器为贽，稍次为帛；次等贵族则用雁、雉等禽类或羔羊为贽；女子则以干果或干肉为贽。这些就是后世礼俗中的见面礼。初次相见时，宾客要先请人通达，之后去府上拜访。请求会见致辞说："我愿意来拜见您，但没有机缘。某君根据您的吩咐差遣我来拜见您。"主人回答说："某君吩咐我会见您，您又屈尊到来，实在不敢当。请您先回到府中，我很快就去拜访您。"宾客经过三次谦让，最后主人才答应说："我一再辞谢得不到您的允许，我将拜见你。"

2. 受礼迎客

主人同意接待宾客以后，又接着说："看见您还拿着礼物，我冒昧辞谢。"客人则说："我不拿礼物不敢来拜见您，务请收下。"又经过三次推辞谦让，主人才表示收下。说道："我一再推迟也得不到您的允许，只好恭敬不如从命。"如果是同等级相见,主人走出大门外迎接。主人与宾客两次互行拜礼,之后主人拱手进入大门,在右边就位。客人捧着礼物进入大门,在左边就位。宾客两次行拜礼,送上礼物,主人两次辞谢后收下。主人接待客人的场所,按宾主的身份地位、互相间的关系而异。隆重的会见仪式在堂上举行,宾主地位相当,举行于堂上两楹(柱)之间的中心地点;如果宾客的地位次于主人,则在中堂之东、东楹之西举行;如果是一般性的低层次会见,仪式则不在堂上而在庭院中举行。举行贽的接受礼仪时,如果主宾地位相等,一般都亲相授受。如果是小辈初见长辈,臣下初见君上,则先将贽放在地上不亲授,即所谓奠贽,以表示身份低下。如果尊长有所推辞,然后再行授受之礼。

3.还贽于宾

举行贽的授受礼仪之后,如果宾主地位相等,主人请求回访来宾,待再次见面时,主人按礼把贽还给宾客。宾客再三推辞后受贽。这叫"礼尚往来,来而不往非礼也"。如果是小辈初见长辈,臣下初见君长,尊长可以受礼不还,以表示接受其为小辈或臣下。

4.观色进言

宾主举行会见仪式后,就要进行交谈。交谈时,宾客要察言观色而言。说话时不能一直盯着主人的脸,视线只能停在其衣领处;谈话结束后,要观看主人是否赞同自己的意见。在整个会谈中,都要面容严肃,身体端正。不发言时,要"立则视足,坐则视膝",不可目光游移不定,心不在焉。

5.告退辞谢

如果见到主人显出疲劳或问时间、或问饭食是否准备好时,就要告退。退出时,主人起身相送,要阻挡谢辞。一般告别相送到门要有"三辞":一辞而许送,叫"礼辞";二辞而许送，叫"固辞"；三辞不许再送，叫"终辞"。

先秦时期的相见礼俗，流行于社会的各个层面，大同小异。士是商周时期贵族中最低的等级，也是贵族中人数最多的阶级。士受过教育，有知识，有才能，是社会中最活跃的阶层。因此先秦时期的相见礼仪制度，大部分是以士为基础制定的。《仪礼·士相见礼》是行之于士阶层相见时礼仪风俗的记录，对后世相见礼俗影响相当深远。

二、宴宾礼仪

宴请宾客包括主人招待来访的贵宾和主人主动邀请宾朋宴聚。不论是哪种宴宾，都必须讲究宴饮的礼仪俗规。其礼仪风俗主要有以下几个方面：

首先是席位座次与桌次。座次与桌次的安排是宴会的首要之事，要体现出尊卑有序、长幼有等、友爱亲和的气氛。如果是家族聚会，或在室中宴请客人，最尊者的座位于西墙下居中面东为主坐席位，其他人在前方两侧分为左右两排，按左一居北面南、右二居南面北、左三居北面南、右四居南面北、左五居北面南、右六居南面北等等的顺序，依次相对而坐。最卑者在席尾面西而坐。《史记·项羽本纪》记载鸿门宴的座次即是如此。项羽以尊长自居，与他的叔父项伯面向东而坐，他的亚父、尊师范增面南而坐，使刘邦面北而坐，张良作为刘邦的随从面西而坐。按礼，请来的贵客应居尊位，但项羽却使刘邦面北而坐，仅尊于随从张良，这是有意污辱刘邦。如果是最隆重的聚会，则是在宽大的堂内举行。座位就是以南向为尊。如《礼记·乡饮酒义》记载，西周以来由乡大夫主持的大型宴会——"乡饮酒"，其尊卑的座次是：主宾之位是在堂的北墙下牖（窗）与户（门）之间（北墙东侧有门，西侧有窗，门窗之间地方宽敞），居堂的西北方向，面南而坐；

主人之位是在主宾的东南方向,面西而坐;介是主宾带来的辅助者,即陪客,其位是在主宾的南侧(堂的西南方向)面东而坐;傧是主人的辅助者,其位是在主人的北侧(堂的东北方向),面西而坐。这种座次,按《礼记》的解说是:"宾主象天地也,介傧象阴阳也。"主宾是主人所敬重的,象征天之尊,所以居最尊之位,面向南;介也是客人,是主宾的辅助者,也是代表,位居第二;主人以礼下人,象征地之卑,位居第三;傧因是主人的辅助者,位于第四。宋代以后出现高腿方桌,俗称八仙桌。因为正房为坐北朝南,所以方形的八仙桌的北面为主宾。如果是并排坐二人,主宾居右,次宾居左,其他人依次排,主人居末位。如果不以房室的方向定位,则均以迎门一方为首,主人则背门而坐,圆形桌亦然。为了便于在席间交谈,现今通行宾主并坐。主宾坐在右侧,主人坐在左侧。

桌次主要是根据宴会厅堂的形状来安排。无论多少桌,先定位主桌。其原则是以右为尊,以里为尊,居中为尊。其他桌次以临近主桌为上。不论什么形式的宴会,主人一般都要到门口迎接宾客,或是排队迎宾更为隆重。入座时请客人在前,由椅子的左侧入座,客人先坐,主人后坐。

其次是祝词与祝酒。祝词通常是安排在进餐之前。其内容要充分表达对客人的敬意和欢迎之情,以增进友谊为目的,用词要适中得体。在席间主人要向宾客祝酒,碰杯时要略低于客人的酒杯,以示敬重。

最后是送客。宴会结束,赴宴宾客起身离座时,主人要起立,请客人先行,送出门外,握手告别。如果客人坐车,要招手目送车子离去。

百族风情礼仪多

一、满族的人际礼仪民俗

满族是一个尊老、敬上、好客的古老民族,非常重视人际礼仪,其相见礼与宴宾礼尤其具有鲜明的民族特点。

1. 相见礼仪

满族的相见礼仪有鞠躬礼、执手礼、抱腰礼、顶头礼、请安礼、抹鬓礼、叩头礼。

鞠躬礼与执手礼是平日相见之礼。《宁古塔纪略》载:满洲"无作揖打恭之礼,相见唯执手"。《柳边纪略》又载:"满人相见,以曲躬为礼,久别相见则抱腰。"鞠躬礼与汉族鞠躬礼基本相同。

施执手礼时,双方各以右手相执,虚拢而不握。年长者垂手引之,年少者仰手迎之,同辈或年纪相仿者则立掌平执。妇女相见,特别是结亲女眷初次会面多行执手礼,以执手为亲。直至现今,农村的满族人多以执手礼迎接亲人或客人。

抱腰礼要重于执手礼。是故旧亲朋多年不见或新亲家初见的相见礼。其仪:两人相迎先碰左肩,后碰右肩,然后以右臂互相抱腰,左手抚背,交颈贴面,之后再执手问安。清代晚期多以执手礼代替,但特殊场合仍以抱腰抚背为亲。

顶头礼是离别复见的老夫妻所行的相见礼。其仪:老妇迎上前去,用头顶住老夫的胸;老夫轻轻地抚摸一下老妇的脖子,或拍拍后脑勺,以示还礼。

请安礼俗称"打千",也是满族人日常相见之礼,多是晚辈向长辈、卑者向尊者请安,平辈之间有时也行请安礼。其仪是:男子请安时,凡是穿箭衣的(缀有"马蹄袖"之袍),先弹袖放下"挖杭"(马蹄形的袖头),先左袖,后右袖。再将左脚略前移半步,左膝前屈,同时左手手心向下自然垂在左膝盖上;右足后引屈膝,距离地面一寸左右,同时右手下垂;上身稍向前俯,如拾物状,约一呼一吸之间,左腿撤回,恢复立正姿式,施礼完毕。施礼时,一边行礼,一边口说"给某某请安"。受礼者除家中尊长外,亲友、长辈还半揖,或执行礼者之臂,平辈则同样"打千"还礼。

女子也行请安礼。其仪是:上身挺直,两腿并拢,右足略后引,两膝前屈,呈半蹲姿势。同时左手在下、右手在上相叠,搭在两膝上,约一呼一吸之间恢复原状。施礼时必使长衣拂地,拖襟四开,缓而且深,显出高雅气质。

女子请安还行抹鬓礼。其仪是:先成立正姿势,然后右手五指并拢抹摸右鬓,同时口说"给某某请安"。满族贵族人家女子多穿高底的"寸子鞋",不便前屈下蹲,或乘车时受人请安,不便下车还礼,多行抹鬓礼。

叩头礼是臣民对君主、下级对官长、晚辈对长辈、奴仆对主人所行的拜见大礼。有三跪九叩、二跪六叩、一跪三叩之分,其仪与汉族叩头礼相同。

2. 宴宾礼仪

满族人家重客,待客礼节隆重,每逢年节必宴请宾客。《柳边纪略》等典籍记载了黑龙江地区的满洲人家宴请宾客旧俗,来客皆请至南炕坐,以示尊重。其礼仪主要有敬烟、献茶、敬酒、进食、歌舞等内容。先是主人向客人双手敬烟,或由儿媳、女儿敬烟;次献奶子茶,然后将酒斟在杯中,用盘托着,向客人敬酒,以尊卑长幼为序。如果是妇女敬酒,客人不沾唇则已,沾唇就须一饮而尽。凡饮酒时不食。饮酒毕,主人将煮熟的猪、羊等陈列在炕桌或"划单"上,以小刀分割而食。酒至酣时,宾主共歌舞。

满族民风古朴,有过路客人,亦尽其所能热情招待。菜肴盘、碗必为双数,以双为上礼。若天晚留宿客人,让客人宿南炕,自家人宿北炕。如有车马,代为看管、饲养,不收客人分文。满族的好客之风使中原人物为之感叹。时至今日,在满族集居区各地,盛情待客之风依然。

二、蒙古族的人际礼仪民俗

世代游牧的蒙古族虽然粗犷剽悍,但热情好客却是千百年来一直沿袭的古老风俗。早在成吉思汗时代,就有好客之俗,行路人如果正赶上蒙古人家用餐,可以下马与之共餐。主人家不但不会拒绝,还会热情欢迎。即使主人不在,也可以自己进入蒙古包内用餐。主人归来,如果冷落相待,就为失礼,会受到舆论的谴责。其人际间的交往古朴纯真,毫无伪饰。其礼仪,《蒙古风俗志》等书记载颇详,主要有:

1. 路见礼仪

蒙古人路上相见,彼此都要下马互问"赛拜奴"(你好吗)或"塔赛拜奴"(您好吗);接着互相递上自己的鼻烟壶,互吸鼻烟;然后互相询问最近有些什么见闻,之后各自上路。旧俗,晚辈接烟壶要跪一足接还,长辈稍躬身还礼,右手去接。

2. 进门礼仪

客人来,主人要迎出门外,为客人接缰下马,并嘱咐家人管好狗。主客相见,晚辈要向长辈屈膝请安。客人在主人的陪同下走至门前,主人站在门的西侧,右手放在胸前,俯首微鞠,请客人先进。客人要把马鞭放在门旁,不能提鞭进门。蒙古人之俗"以西为大,以长为尊"。住房屋的蒙古人家,要在西屋待客,住在蒙古包中的蒙古人家则以对着包门的位置为正座,其右方为妇人席,左方为客人席。如果客人比主人辈分高,则请客人坐正座。

3. 敬茶、敬烟礼仪

敬茶、敬烟是蒙古族待客的重要礼俗。客人来必须新沏茶。即便是壶中的茶是刚刚新沏未喝的,也要重新另换,以示重视客人。其他民族有"满杯酒、半杯茶"之俗,蒙古族则是以"满杯茶"为敬。喝茶时,佐以奶皮子、奶豆腐同用。敬茶之后敬烟。主人为客人敬烟,客人也要回敬。旧时多是敬鼻烟,现在多是敬纸烟。

4. 宴宾礼仪

蒙古人家多是以奶制品和手抓羊肉待客。以全羊席待客为最隆重。客人来后,要现杀羊。杀羊前先请客人看过,允许后再杀,叫做"问客杀羊",以示尊重。吃羊肉时,先割下羊头、羊尾供佛,然后敬客。主客围桌共食,亲如家人。进餐时,多是由年轻人把第一杯酒献给客人,吃饭吃菜也是要请客人先动筷子或刀子,这叫做"献德吉"。"德吉"即是首杯、先吃的意思。如果客人是年轻人,当他接受献"德吉"之后,也不能自己首先享用,要请主人家的尊长先享用,并要给长者斟酒,这是礼敬长者的美德。宴席上,还要为客人拉马头琴、唱歌,气氛非常热烈亲切。现今内蒙古草原地区的游牧人家仍然是以旧俗待客,体现出浓郁而古朴的草原风情。

三、藏族的人际礼仪民俗

1. 相见礼仪

藏族旧时的相见礼俗非常繁杂,各类礼仪的阶级特征尤其突出,等级地位森严。每个人都必须按自己所处的社会地位施行各种礼节。旧时平民见到活佛、贵族和大喇嘛都要行跪拜礼。农奴在路上见到大小僧官,要恭立道边,脱帽鞠躬,要等他们走后才能移步。平时,农奴见到农奴主,要低头吐舌,战战兢兢,表示敬畏。尊者每说一句,卑者都必须吐一次舌头,应一声"拉索"(是、对)。告辞尊者时,必须要面向尊者倒退至门或很远的地方后,方可转身。民主改革后,虽然废除带有阶级压迫的礼俗,但平民拜见活佛仍然多依旧俗行事。

敬献哈达是藏族人在互相交往中的重要礼节,表示敬意和祝贺。哈达是一种丝织品,白色居多,也有淡黄色和浅蓝色的,是藏族人的必备品。敬献的哈达越宽长,表达敬意越深厚。普通藏民拜谒活佛时,也献哈达,但不能直接递到活佛的手里,只能敬放在活佛前的桌子上。一般妇女拜会喇嘛前,必须用红糖或乳茶涂脸,否则会被视为卖弄风情,要受到处罚。

由于个人的身份地位不同,藏族人在相见礼节上特别注意使用语言。社会上有三种话:普通话、敬语、最敬语。身份相等者或关系非常熟者互用普通话,但习惯上也常用敬语,表示尊重。身份不等者,地位高的用普通话,地位卑下的用敬语;如果地位悬殊,则要用最敬语。

2. 宴宾礼仪

藏族宴宾要按地位的高低,分别坐于不同等级的位置上。宴请地位高的活佛,如果没有与他地位相等的人,就得为他独立设专席,一人独座。在特殊情况下,如果地位高的人宴请地位低的人,虽是一宾一主,客人也必须坐在下首。入席、离席也都按等级依次行动,不得逾越。

四、维吾尔族的人际礼仪民俗

维吾尔族是热情好客、崇尚礼仪的民族。

维吾尔族人家对那些素不相识的没有吃饭、没有地方住宿的过路人,只要他们说明请求帮助的原因,就会得到殷勤招待。住宿时,客人不能完全拒绝使用主人的被褥,否则被认为是看不起他们。如果客人有自己的被褥,要及早拿出,不要等主人家拿出后再拒绝。

维吾尔族俗敬尊长,走路要让长者走在前面,谈话要让长者先讲,落座时要让长者先坐。老人不论到哪里去做客,年轻人都要为骑马、骑驴的老者卸鞍,饮喂驴、马。离开时要为老人备鞍,扶老人上马。吃饭时,要先送给老人。

无论何时相见,维吾尔族男女老少,同性别人都要互问"色俩目"(意为"平安""安康"),行"拿目洒拂哈"礼(意为"握手")。哪怕是有怨恨的人相见也要行礼,否则要受到社会舆论的谴责。"拿目洒拂哈"的仪姿是:双方均用右手紧紧握住对方的右手心,然后左手握住对方的右手背,轻摇几下,以示问好、致敬。平辈相见,直接互相握手问安;女人相见,先是双手交叉于腹前,略微躬身,互道"色俩目"后握手,问候家人平安;如果是年轻人、晚辈遇见长者,要连声说"色俩目",同时躬身后退一步,以右臂抚胸行抚胸礼,鞠躬30度,然后握手。握手毕,双手抚摸自己的脸,名之曰"都瓦"。"都瓦"是阿拉伯语,意为"祈祷""祝福您"之意。

维吾尔还以"接都瓦"为日常相见的礼仪,即祈祷礼。其仪姿是:举起双手,手背朝下,手心向脸,专意向真主祈祷一两分钟,然后把双手放在脸上,自上而下摸一下,谓之"接都瓦"。行"接都瓦"的场合较多,如穆斯林集体或单独做礼拜之后相见、去亲友家吊丧相见、到亲友家做客吃完饭后,都要行"接都瓦",是一种隆重的为亲友祈祷祝福的礼节。

维吾尔族有尚右的习俗。因此,其待人接物之礼皆以右为尊。施礼时要以右手抚胸,给客递茶、端饭或给其他物品,要以右手为主,左手为辅。进门时,要右脚先迈门槛,甚至睡觉时都以右侧着床,认为左侧着床会做噩梦。尚右的习俗是人际礼仪中贯彻于一切方面的,违俗就会被认为是不敬。

　　人际礼仪是人类社会文明的表现和象征。世界上任何一个国家,任何一个民族都有自己的传统礼仪。但由于各个国家、各个民族的生产方式不同,所处的社会发展阶段不同,信仰、心理素质不同,历史传承不同,因而人际间的礼仪也各有不同。中华民族自古以来就是一个非常重礼仪的民族,视其为修身、齐家、治国、平天下的根本。《论语》中说:"不学礼,无以立。"又说:"礼之用,和为贵。先王之道,斯为美。"古代的礼、乐、射、御、书、数六艺之教礼居其首。学礼、知礼、行礼,不仅完善个人的品格,更能提高整个民族的素质,形成一种良好的国风。在人际交往中,礼仪最主要的功能就是向被施礼者表达与之身份地位相适合的敬意,使其享受到一种承认感、尊重感。施礼不仅仅是下级对上级、幼者对长者、主人对客人的礼敬,受礼者也要根据行礼者的不同身份予以不同形式的还礼。所谓"礼尚往来,来而不往非礼也"。通过致礼与答礼,使尊长者得到敬崇,卑微者也受到爱抚,从而沟通关系,亲和感情,化解矛盾,减少对抗,造就一个和谐稳定的社会。

原典选读

《礼记·曲礼上》节选

《礼记》是一部记载和论述先秦礼制、礼仪的典籍，对后世的礼俗影响极其深远。今节选其《曲礼》篇的若干小节如下：

按：以下论礼的重要性

夫礼者，所以定亲疏，决嫌疑，别同异，明是非也。礼不妄说人，不辞费。礼不逾节，不侵侮，不好狎。修身践言，谓之善行。行修言道，礼之质也。礼闻取于人，不闻取人。礼闻来学，不闻往教。

道德仁义，非礼不成；教训正俗，非礼不备；分争辨讼，非礼不决；君臣上下，父子兄弟，非礼不定；宦、学事师，非礼不亲；班朝、治军，莅官、行法，非礼威严不行；祷祠、祭祀，供给鬼神，非礼不诚不庄。

是以君子恭、敬、撙、节、退、让以明礼。鹦鹉能言，不离飞鸟；猩猩能言，不离禽兽。今人而无礼，虽能言，不亦禽兽之心乎！夫唯禽兽无礼，故父子聚麀。是故圣人作为礼以教人，使人以有礼，知自别于禽兽。

大上贵德，其次务施报。礼尚往来，往而不来，非礼也；来而不往，亦非礼也。人有礼则安，无礼则危。故曰：礼者，不可不学也。夫礼者，自卑而尊人，虽负贩者，必有尊也，而况富贵乎！富贵而知好礼，则不骄不淫；贫贱而知好礼，则志不慑。

按：以下为人子之礼

凡为人子之礼，冬温而夏清，昏定而晨省，在丑、夷不争。

　　夫为人子者，三赐不及车马。故州、闾、乡、党称其孝也，兄弟亲戚称其慈也，僚友称其弟也，执友称其仁也，交游称其信也。见父之执，不谓之进不敢进，不谓之退不敢退，不问不敢对，此孝子之行也。

　　夫为人子者，出必告，反必面，所游必有常，所习必有业，恒言不称老。年长以倍，则父事之；十年以长，则兄事之；五年以长，则肩随之。群居五人，则长者必异席。

　　为人子者，居不主奥，坐不中席，行不中道，立不中门，食飨不为概，祭祀不为尸，听于无声，视于无形，不登高，不临深，不苟訾，不苟笑。

　　孝子不服暗，不登危，惧辱亲也。父母存，不许友以死，不有私财。

　　为人子者，父母存，冠衣不纯素。孤子当室，冠衣不纯采。

　　幼子常视毋诳。童子不衣裘、裳，立必正方，不倾听。长者与之提携，则两手奉长者之手。负、剑，辟咡诏之，则掩口而对。

按：以下为拜访他人的礼仪

　　将适舍，求毋固。将上堂，声必扬。户外有二屦，言闻则入，言不闻则不入。将入户，视必下。入户奉扃，视瞻毋回。户开亦开，户阖亦阖。有后入者，阖而勿遂。毋践屦，毋踏席，抠衣趋隅，必慎唯诺。

　　大夫士出入君门，由闑右，不践阈。

按：以下为迎宾、待客及为客的礼仪

　　凡与客入者，每门让于客。客至于寝门，则主人请入为席，然后出迎客，客固辞，主人肃客而入。主人入门而右，客入门而左；主人就东阶，客就西阶。客若降等，则就主人之阶;主人固辞,然后客复就西阶。主人与客让登,主人先登,客从之,拾级聚足,连步以上。上于东阶,则先右足;上于西阶,则先左足。

帷薄之外不趋,堂上不趋,执玉不趋。堂上接武,堂下布武,室中不翔。并坐不横肱,授立不跪,授坐不立。

凡为长者粪之礼,必加帚于箕上。以袂拘而退,其尘不及长者。以箕自乡而扱之。奉席如桥衡。请席何乡?请衽何趾?席南乡北乡,以西方为上;东乡西乡,以南方为上。

若非饮食之客,则布席,席间函丈。主人跪正席,客跪抚席而辞。客彻重席,主人固辞,客践席,乃坐。主人不问,客不先举。将即席,容毋怍,两手抠衣,去齐尺。衣毋拨,足毋蹶。

先生书策琴瑟在前,坐而迁之,戒勿越。虚坐尽后,食坐尽前。坐必安,执尔颜。长者不及,毋儳言。正尔容,听必恭,毋剿说,毋雷同,必则古昔,称先王。

侍坐于先生,先生问焉,终则对。请业则起,请益则起。父召无诺,先生召无诺,唯而起。

侍坐于所尊敬,毋余席,见同等不起。烛至起,食至起,上客起。烛不见跋。尊客之前不叱狗。让食不唾。

侍坐于君子,君子欠伸,撰杖屦,视日蚤莫,侍坐者请出矣。侍坐于君子,君子问更端,则起而对。侍坐于君子,若有告者曰:"少间,愿有复也。"则左右屏而待。毋侧听,毋噭应,毋淫视,毋怠荒。游毋倨,立毋跛,坐毋箕,寝毋伏。敛发毋髢,冠毋免,劳毋袒,暑毋褰裳。

侍坐于长者,屦不上于堂,解屦不敢当阶。就屦,跪而举之,屏于侧。乡长者而屦,跪而迁屦,俯而纳屦。

按以下为平时坐立言行礼仪

离坐离立,毋往参焉。离立者不出中间。

男女不杂坐，不同椸、枷，不同巾、栉，不亲授。

嫂叔不通问，诸母不漱裳。

外言不入于梱，内言不出于梱。

女子许嫁，缨，非有大故，不入其门。

姑、姊、妹、女子子，已嫁而反，兄弟弗与同席而坐，弗与同器而食。

父子不同席。

男女非有行媒，不相知名；非受币，不交不亲。

故日月以告君，齐（斋）戒以告鬼神，为酒食以召乡党僚友，以厚其别也。

按：以下为进餐礼仪

凡进食之礼，左殽右胾。食居人之左，羹居人之右；脍炙处外，醯酱处内；葱渫处末，酒浆处右。以脯修置者，左胊右末。

客若降等，执食兴辞，主人兴，辞于客，然后客坐。主人延客祭，祭食，祭所先进，殽之序，遍祭之。三饭，主人延客食胾，然后辩殽。主人未辩，客不虚口。卒食，客自前跪，彻饭齐以授相者。主人兴，辞于客，然后客坐。

侍食于长者，主人亲馈，则拜而食；主人不亲馈，则不拜而食。

共食不饱，共饭不泽手。毋抟饭，毋放饭，毋流歠，毋咤食，毋啮骨，毋反鱼肉，毋投与狗骨，毋固获，毋扬饭，饭黍毋以箸，毋嚃羹，毋絮羹，毋刺齿，毋歠醢。客絮羹，主人辞不能亨；客歠醢，主人辞以窭。濡肉齿决，干肉不齿决，毋嘬炙。

侍饮于长者，酒进则起，拜受于尊所。长者辞，少者反席而饮；长者举未釂，少者不敢饮。长者赐，少者贱者不敢辞。

赐果于君前，其有核者怀其核。御食于君，君赐余，器之溉者不写，其余皆写。

舌尖百味——饮食风俗

中国饮食风俗经历了数千年的发展历程。旧石器时代早期的原始人群，不懂使用火和熟食，茹毛饮血，无食俗而言。原始群中后期，原始人学会了保存自然火，晚期又掌握了人工取火，进入了熟食时代，熟食成为先民们最早的饮食习俗。史称"燧人氏钻燧取火，以化腥臊"。母系氏族公社时期，神农氏"耕而陶"，发明耒耜，教民稼穑，制造陶器。陶具是先民们最早人工制造的炊具和容器，从此出现了吃粥、吃蒸饭的习俗。经过父系氏族公社进入夏、商、周三代，由于农业、牧业、渔猎的发展，金属炊具的广泛应用，食物的种类和加工的方法日益增多，形成了因地域而异、民族而异、阶级而异的多种多样的饮食习惯。数千年来各民族的饮食相互融合，使得中华民族饮食风俗独具特色，且最具丰富的文化内涵。中国成为举世闻名的"美食王国"。

五谷肉蔬盘中餐

　　中国自古以来地大物博，民族众多。各民族居地不同，生产方式不同，所选择的食物材料和制成食品的方式亦不同。在中国，田中的稻麦粟豆，园里的瓜果菜蔬，圈内的牛羊猪狗，水中的鱼鳖虾蟹，山上的獐狍兔鹿，天上的鹅雁鸽雉……凡是地上长的、水中生的、山上跑的、天空飞的几乎都可以成为盘中的美味佳肴。居住在长江、黄河流域广大地区的汉族及其先世，自古以来就是以农业经济为主，饲养、渔猎、采集多种经济综合发展的民族。这样的生产方式，使广大的汉族民众，经过数千年的发展与传承，逐渐形成了以稻、黍、稷、麦、豆等植物性食物为主，辅以肉、菜的饮食习俗。大体说来，北方地区以杂粮的米、面为主，兼食其他谷类；长江流域以稻米为主，兼食其他谷类。生活在草原的游牧民族和居住在山林中的狩猎民族则多是以各类禽兽的肉类为主食。不同地区的不同民族，因时因地而异，形成了不同的饮食习惯。

一、汉族的饮食习俗

汉族的饮食习俗以熟食、热食为主。汉族及其先世早在原始社会就已经掌握以火烧食兽肉的技术。距今 50 多万年以前的北京人周口店遗址中就有大量的用火熟食的遗存。汉族的先民们很早就知道生食会伤害腹胃而致病，还懂得以水火加工熟食不仅可以去腥臊膻臭，还可以因不同的火候而获得不同口感的美味。这种熟食、热食的习惯，为以后各种烹饪技巧奠定了基础。熟食避免疾病，有益健康，增添美味，是文明高度发展的标志。

汉族传统主食的加工致熟的方法主要是煮、蒸、炸、烤和煎，传统的主食主要有：

一是米饭。将米通过煮或蒸的方法使之成为粒状的食物称为饭。据《事物纪原》载："黄帝始蒸谷为饭。"看来饭的历史至少有 5000 年。米饭古代又称为云子，这是因为稻米饭晶白如云而得名。米与肉合煮或蒸而成的饭称为肉饭，与豆合煮或蒸而成的饭称为豆饭。

二是粥。将米与水合煮成糊状称为粥。虽然《事物纪原》说："黄帝始烹谷为粥。"认为粥是始于黄帝，其实粥早在母系氏族公社时期有了陶器后，就已出现了。粥早于饭是毫无疑问的。人类加工熟食当是先烧，次煮，之后再是其他各种方法。粥的种类很多，加肉而煮称为肉粥，加豆而煮称为豆粥，其中以多种米、豆合煮的八宝粥最为著名。

三是粽子。粽子是汉族人喜欢吃的黏米制成的食品，也是端午节的应节食品，古代称为角黍，主要是用粽叶包裹黏米蒸制而成。

四是饼。最初是一切面食的通称,后来专指烙、烤、煎、蒸而成扁圆形的面食。《汉书·宣帝纪》载:"每买饼,所从买家辄大售。"可见汉代时饼已经是非常流行的食品。饼因其做法不同有各种不同的种类。如夹馅的称为馅饼,烤的称为烤饼,油煎的称为油饼等等。汉族的春饼,其薄如纸,可卷肉菜而食,是古今立春时节的应节食品。

五是馒头。是将面粉发酵后蒸制成的半圆形食品。馒头古称蒸饼,现在传世的馒头,传说始于诸葛亮。诸葛亮征孟获凯旋至泸水时,有怨鬼兴风不得过,按当地风俗要杀49人,用人头祭祀。诸葛亮不从,令人用面粉制成人头形的食品名之曰"曼头",用以代替真人之头。曼者,美好之意,曼头即美好的人头。直至当今,馒头既是人的食品,也是祭祀鬼神的供品,古俗久矣!

六是饺子。原称角子,因其面皮裹肉馅,捏成双角之形而名。可煮、可蒸,亦可炸、煎,因其馅的不同、加熟的方法不同而味道香美各异。古文献记载和考古发掘,均证明最迟在唐代就已经有吃饺子的习俗。当今,饺子在全世界已经成了中国有代表性的面食。

七是面条。面条是由汉代的水煮饼发展而来,宋代以后称为面条。将用水和好的面擀成薄片后切成条形,多是煮食。因其绵长不断,宋代时常用它作为过生日祝寿有象征意义的食品,称之为"长寿面",其俗一直延续至今。

早在春秋战国时期,孔子就提出了"食不厌精,脍不厌细"的饮食观。中国传统饮食数千年来正是沿着"食不厌精,脍不厌细"的道路发展的。传统菜肴对于用料、刀工、烹调方法及火候都极为讲究。厨师可以把各种动物的肉、骨、蛋、脏,各类植物的根、茎、叶、花、果、核等都用来做菜,极具特色。其制作方法,根据不同的原料运用直刀、片刀、坡刀、花刀、刻刀、剁刀等数十种不同的刀法,切成丝、条、丁、块、片、段不同的形状。按照人们所喜爱的不同口味,采用煎、炒、烹、炸、烤、烧、熘、爆、熏、扒、煮、蒸、涮、氽、焖、炖、烩、拌、腌、腊、冻、卤、酱等数十种烹调方法,可以炮制出千百种菜肴。

由于物产和风俗的差异,各地的饮食习惯和品味爱好迥然不同,源远流长的烹调技术经过历代人民的创造,形成了丰富多彩的地方菜系,如闽菜、川菜、粤菜、京菜、鲁菜、苏菜、湘菜、徽菜、沪菜、鄂菜、辽菜、豫菜等。各菜系在制作方法上是各有特色,其中以鲁、川、粤、淮扬等四大菜系最为著名。

鲁菜又称为山东菜。山东是我国古代文化的发源地之一,烹饪技术早在 1400 多年以前就已闻名于世。其烹调方法以爆、烧、炸、炒见长,口味以清、鲜、脆、嫩、醇著称。

川菜以味多、味广、味厚、味道多变而著称,素有"一菜一格,百菜百味"的佳话。川菜始源于成都、重庆一带的地方菜系。其特点:一是取料广泛,禽兽果蔬无不入菜;二是烹调方法长于小炒、小煎、干烧、干煸;三是口味丰富,号称"百菜百味"。调料大都离不开鲜姜、三椒(辣椒、花椒、胡椒),故以麻辣著称。其鱼香肉丝、宫保鸡丁、麻婆豆腐、夫妻肺片等为颇具代表性的川菜。近年来四川、重庆的火锅以其独特的风味风靡全国各地。

粤菜又称为广东菜,源于广州、潮州、东江一带。早在先秦时期,岭南地区即有独特的饮食风俗。唐宋时期广东菜基本成型,时人称之南食、南烹。清代时,粤菜誉满海内外。其特点:一是选料博、杂、奇,重"生猛",蛇、鼠、鱼、虫均在食用之列;二是烹调方法长于炒泡、清蒸,尤善于软炒;三是口感讲求鲜爽嫩滑,强调季节性,夏秋喜清淡,冬春喜浓厚。粤菜的主要代表是三蛇龙虎会、脆皮乳猪、竹丝鸡烩五蛇等。

淮扬菜也称为苏菜,是由扬州、苏州、南京、淮安等地的菜肴汇集而成。发源春秋战国时代,明清时期形成以"甜咸适中,南北皆宜"为特色的淮扬菜系。其特点:一是选料重视时令与鲜活,同样一道菜,不同季节即有不同的选料,做出不同的滋味;二是十分注重刀工、火候,讲求色泽造型;三是烹调上以炖、焖、煨、焐而见长;四是调味追求清淡和原汁原味。其代表菜是清炖狮子头、三套鸭、叫花鸡、松鼠鳜鱼等。

二、其他民族的饮食风俗

1. 满族饮食风俗

满族世代生活于白山黑水之间,尚射猎而兼农耕,因而其饮食习俗有鲜明的北方地域和民族的特点。

满族以杂粮为主食,常食的谷物有稗、粟、麦、秫(黏高粱)、黍(大黄米)、稷(糜子)、高粱等。满族人最喜欢吃黏食,因季节的不同做法有别。满族人把各种各样的块状面食统称饽饽。春做豆面饽饽,夏做苏叶饽饽,秋冬做黏豆饽饽。

豆面饽饽又称豆面卷子,满语称为"飞石黑阿峰"。其制法是将黏黄米面蒸熟后擀成饼,均匀撒上黄豆炒熟后磨成的面,卷好切成小块即可食,色金黄,又香又黏。

苏叶饽饽是将黏高粱米或黄米用水浸泡后磨面发酵,再把小豆煮烂捣成豆沙,用面包裹,俗称黏豆包。下面放苏子叶,置于锅中蒸熟,口感黏韧,回味清香。冬季,年年都要蒸出许多黏饽饽,放在大缸中冷冻,随时享用。黏食不易消化,抗饿,是满族人外出射猎和作战时经常携带的食品。

满族人喜食沙其玛。其做法是将黏米面或白面拌上冰糖、奶油后,搓成小条堆积在一起切成块状,放在无灰炉中烤熟,表面再撒上红绿丝,香、甜、黏,极其可口。汉族人称其为芙蓉糕。

夏季,满族人喜欢吃酸汤子。其做法是将玉米渣子浸泡发酵,然后磨成粉浆,把沉淀下来的淀粉用特制的小汤筒挤成条形,甩在开水锅里,熟后盛出,加上佐料即可食用。酸汤子味微酸,有韧性又润滑,食之爽口消暑。

满族人还喜欢吃小米饭、高粱米饭和黄米饭。特别是将黄米饭拌上猪油、蜜糖,香、甜、黏、软兼备,满族平民常用它来招待贵宾。

满族及其先世肃慎人、女真人都以养猪著称,素有喜食猪肉之俗。菜肴烹饪方法很多,但平民人家主要是煮、炖、熬、烧、烤、涮等,最有民族特色的菜肴主要有:

一是白肉血肠。选皮薄肉嫩的肥猪五花肉一块,煮熟切成大薄片,即为白肉。再将猪的熟血肠也切成薄片,一同拼在盘子里上桌,佐以蒜泥、韭菜花、酱或辣椒油进食。也可以将肉片、血肠片放入酸菜中,加上粉条调味共炖。白肉肥而不腻,血肠柔润适口,红白相间,配以酸菜粉条,口感极佳。自宋代女真人始,一直是满族人世世代代的传统菜肴。现今已经成为东北地区的代表性名菜,享誉全国。

二是酸菜。满族食俗喜吃酸菜,每至冬季,家家都要腌上一两大缸酸菜。酸菜酸、脆,易于保存,是满族人家冬季的主要蔬菜,可与猪肉同炖、同炒,还可做馅包饺子。酸菜馅儿饺子是满族人家春节时必吃的食品。

2. 蒙古族饮食风俗

蒙古族是以游牧为主兼事射猎的民族,因此蒙古族饮食习俗的最大特点就是以肉和奶为主食。他们称肉为红食,称奶为白食。

肉以羊肉、牛肉为主。其吃法是将大块羊肉放在锅中煮半熟,盛放在大盘中,众人围盘而坐,各用随身带的小腰刀分割手抓而食,香嫩可口,俗称手把肉。来了客人,则煮全羊盛情款待。蒙古族的"全羊席"最具民族特色,全席有菜肴112品、点心16种,8人一桌,出刀割肉,举杯敬酒,歌手助兴,非常有情趣。夏季,鲜肉不易保存,则将肉切成肉条,风干后保存,随时煮食。

白食分为两类,一是饮用奶,二是奶制品。蒙古人的饮用奶主要是牛奶、骆驼奶和羊奶,以牛奶居多。蒙古人喜欢喝奶茶,其制法是将茶砖砸碎,装于布袋中,放在奶中煮沸,饮时略加些盐,味绵浓,口有回香。奶制品的种类很多,主要是奶油、奶皮子、奶豆腐、奶酒等等。这些都是奶中珍品,最为蒙古人所喜食。蒙古人还常将发酵奶酿成奶酒,奶酒无色透明,味芳香,是蒙古人待客的饮品,被誉为"塞北三珍(醍醐、酥酪、马奶酒)"之一。

蒙古人的饮俗还喜欢喝用茶砖煮成的浓红茶。浓红茶味涩消油腻,最适于肉食民族饮用。

蒙古族喜欢食用的粮食是炒米。它是将糜子煮熟、炒干之后碾成的米。炒米可以直接放入口中吃,也可以放在奶中泡食。炒米易保存、携带,不易消化,抗饿,是适合游牧生活的食品。

3. 藏族饮食风俗

生活于青藏高原的藏族,受地理环境、气候条件和宗教的影响,形成了一些独具特色的饮食习俗。

藏族人以牛羊肉和糌粑为主食。藏族人吃肉与蒙古人相似,将大块肉煮熟后以刀割食。糌粑是用炒熟的青稞或豌豆磨成的面粉,吃时用奶茶或酥油拌和,用手指在碗中捏成小团而食。

藏族人最喜欢饮用酥油茶。酥油是从牛羊奶中提炼出来的。将酥油与茶水、盐混合在一起,放入桶中用木杆上下冲捣,打制成酥油茶。酥油茶醇香味美,营养丰富,增热御寒,生津止渴,非常适合高寒地区人民食用,是藏族人所特有的饮品,常用来招待宾客。

4. 维吾尔族饮食风俗

维吾尔族人以面食为主,食牛羊肉。维吾尔族以及其他信奉伊斯兰教的民族,饮食上最大的特点就是不吃猪肉,并遵照《古兰经》的戒律,禁吃马、驴、骡、狗和一切凶禽猛兽及非"以真主之名"宰杀的动物。

维吾尔族最擅长和喜食的烤制食品主要有:

一是烤全羊。烤全羊是维吾尔族节日和招待贵族的上等食品。其烤制方法是:将羊宰杀洗净后,在羊腔内外抹上盐、鸡蛋、面粉、胡椒等,用木棍将全羊从头至尾穿上,放在炭火馕坑中,将炉口封严。烘烤两个小时后,全羊呈黄色,即可食用,味香肉鲜。

二是烤羊肉串。将羊肉切成小块,与盐面、胡椒粉、辣子粉等渗泡后,用细铁钎贯穿成串,放在炭火炉上烤熟,吃前再撒些调料即可食用。现在维吾尔族的烤羊肉串已经成为风靡全国各地的新疆风味小吃。

三是烤馕。维吾尔族人喜吃烤馕。馕是用面粉发酵后或加盐或加糖制成的大小不一、厚薄不一的圆形饼,放在馕坑中烤熟。馕坑是维吾尔族人很具有民族特色的灶具。它是在高台上,挖腹大口小的坑,下留风口,坑深约 80 厘米,坑壁用盐和泥抹上。烤馕时,用炭火将坑壁烧红,将生饼一个个贴在壁上,之后用砖封死坑口,一会儿即熟。烤馕因其掺和的调料不同、大小厚薄不同而口味也各不相同,但均有一种特殊的浓郁绵香的味道。

四是抓饭。抓饭与烤馕都是维吾尔族人的主食。抓饭,维吾尔语叫做"颇罗",其做法是:先用羊油把羊肉或牛肉炸干,加上洋葱、胡萝卜、葡萄干或杏干等,加上适量的水煮沸。然后将洗好的大米铺到洗好的菜上,等到水快熬干时,将米菜搅拌均匀后盖严锅盖用小火焖熟,熟后置于盘中手抓而食。

色味形器满桌辉

中国饮食的独特魅力,不仅在于它的口味精美,更是追求味、香、色、形、器的有机统一。一桌美餐,各种菜肴在口味的配合上,强调百味杂陈,突出主味,五味在口,香气四溢。在各种食品颜色的配制上,以辅助的色彩来衬托、点缀和突出主食品,使菜肴色彩缤纷,主次分明,相映成趣,和谐悦目。各种食品菜肴不仅要装盘形式美,摆盘样式美,而且其本身形状也要美,注重造型艺术。有些食品的造型就是根据用餐对象或宴会的内容而专门捏制或雕刻的,如寿桃、仙鹤、龙凤等,造型逼真,色彩鲜艳,拼配巧妙,融造型艺术与烹饪艺术于一体。作为菜肴,鸡就是鸡,牛排就是牛排,番茄就是番茄。牛排都只有一种味道,纵然有搭配,那也是在一个盛有牛排的盘子中,一边放些土豆泥,另一边配点煮青豆,再加上几片番茄便成。色彩上虽然对比鲜明,但在滋味上各种原料互不相干,各是各的味道。

中国传统饮食风俗有"美食不如美器"之说,重视饮食用具的精美也是中国饮食风俗的一大特色。李白诗云:"金樽美酒斗十千,玉盘珍馐值万钱。"是说美酒要配"金樽",珍馐美味要用"玉盘"来装饰,才能提高美餐价值。杜甫在描写到唐代宫廷餐桌上餐具的奢侈华美时也有诗云:"紫驼之峰出翠釜,水精之盘行素鳞。"驼峰确为美味,烧好后用翠绿的玉釜端上餐桌,清蒸鱼用晶莹透明的水晶盘子装盛好,呈现在达官贵人面前,真是珠联璧合,满桌生辉。精美的餐具不仅可以满足人们对自身社会地位的自尊,对美好生活的向往,而且在使用精美餐具时,对其质地、样式、风格、艺术价值的欣赏,也是一种对美的追求,经受其艺术的熏陶。中国饮食用具从用途上来分,有豆、罐、鬲、杯、盆、碗、盒、瓮、壶、甑、盘等;从材料上来分,有陶制品、瓷制品、金属制品和竹木制品等。随着生产力的提高和人类生活水平的不断进步,饮食用具在材料、质量、形态等诸方面都发生了新的变化。从隋唐开始,已大量使用了金银等贵金属所制的饮食用具,在民间,陶瓷用具大量使用,到了唐宋时期,中国瓷器享誉海外。直到现代,陶瓷食具美不胜收,灿烂辉煌。

说到餐饮的器具,还必须提到筷子。筷子是中国古人的一大发明,又称之为"箸",是用两根直竹或小木棍儿制成。两根筷子在手,通过交叉互助,才能夹起食物。它体现了中国人重互助、重团结、贵和谐、讲斯文,以互助团结得食求生存的文明品格。西方人以刀、叉为餐具,是由战场用于厮杀的武器转化而来。几把刀叉在餐桌上交相挥舞,插刺切割,直送口中,虽然是进食美餐,但总有些弱肉强食令人不寒而栗的感觉。进餐用具是民族性格、民族道德观念的外在表现。筷子虽然没有金玉白瓷餐具那么高贵华美,但它的创意美、内蕴美却是有过之而无不及。

汉族的饮食风俗特点,不仅仅是追求口感美、嗅觉美、视觉美,还追求内在意蕴美,讲究食品本身的味、香、色、形与外在的器内蕴意的融合,即美味、美形、美器、美意的完美合一,由物质美升华到精神美。汉族的饮食不仅仅是充饥解渴的食物,更是一种体现民族精神的深邃文化。

同桌聚餐重亲和

聚餐共食是中华民族自古以来的饮食风俗。飨字原作乡。乡字就是远古时代同一群体人共同聚餐情景的摹画。乡字甲骨文字形像两人围着盛有食物的食器跪坐而对食。两个人之形,实际上是许多人的简化。在远古时,人类的生存条件十分艰难,为了战胜自然,人类常常是过着群居的生活。一个群居的团体,就是一个谋食集团,同时又是一个平均分配,共同分享获取食物的共食集团。当人们经过一天的采集或渔猎活动以后,围聚在同一个火堆周围,相向而坐,分享大家共同的劳动果实时,无疑会感到这个团体对于每个成员来说是多么的重要,这种意识表现在文字上就变成了人们相向而食的乡字。乡的本义就是共食群体,后来演变为居住区划之名。原始社会群体共食的聚餐方式进入到小家庭时代就成为家庭聚食共餐的习俗。周代是以血缘关系为基础的宗法社会,统治者为了巩固大家族的团结,增强血缘团体的凝聚力,把世代沿袭的聚餐共食习俗礼制化,发展成为乡人聚餐的"乡饮酒礼"。《诗经·豳风·七月》中的"朋酒斯飨,曰杀羔羊,跻彼公堂,称彼兕觥,万寿无疆"! 就是乡人饮酒聚会于乡学的场面,《毛传》对此也解释说:"飨,乡人饮酒也。其牲,乡人以狗,大夫加以羔羊。"先秦时期的"乡饮酒"活动是乡民们相聚会餐尊老敬贤、增进感情的欢宴。乡饮酒礼一直延续到清代道光年间才停止,长达三千多年之久。但民间逢年过节或者婚嫁得子等喜庆日子,都要聚餐宴请乡里。在各种形式的聚餐时,都要讲究餐饮的礼仪。乡间家族聚餐，最高长辈居中上座，其他人按辈分长幼入座。周代的乡饮酒礼：六十者坐，五十者立待。六十者三豆，七十者四豆，八十者五豆，九十者六豆是也。即是按照年龄大小排定坐次。年龄小的只能站立侍候。豆是古代盛食品的器皿，长辈享用食品的多少也和晚辈有所区别，如果乡人中有官职特别高的则可以居上位。聚餐时尊老敬长的习俗为历代所承袭。

皇帝也经常举行大规模的聚餐，宴赏功臣或群臣，是为飨礼。清代康熙皇帝、乾隆皇帝举行的千叟宴，规模极其盛大。康熙五十二年在阳春园第一次举行千人大宴，与宴者3000人；乾隆五十年正月在乾清宫举行新的千叟宴，这次千叟宴共有3000多名耆老入席，加上乾隆皇帝的御膳桌，共摆筵桌800张。皇帝以盛宴聚餐的形式表示敬老和对功勋之臣的酬答。

中华民族及其先世自古以来就生活在重集体、重亲情、重礼仪的传统礼俗中。在家庭和大家族中有饭同吃、有福同享、有难同当是中国人从古至今的道德理念。人们不仅把食物看成是共同生存的需要，还把它看成是亲人之间、朋友之间、统治者与被统治者之间增强亲和力和凝聚力的一种方式。因此，广大汉族及其先民们，数千年来一直沿袭聚餐习俗。通过聚餐共食，来增强人与人之间的亲和感，维护不同形式集体的和睦团结。它是中华民族仁爱、重礼、"和为贵"民族精神的体现。时至今日，每逢春节，人们无论是在中国或世界的什么地方，都会不远千山万水回到家里，与亲人相聚，以吃团圆饭的形式，表达亲情；以聚餐的形式会同学、会同事、会邻里，表达友情。聚餐共食时为了表示大家都是亲人，都是兄弟，不分彼此，所有的筷子，可以伸向同一菜盘，不会怀疑谁有传染病。聚餐的目的，是亲人、朋友间情感的交流,是心灵的沟通,是亲人间血浓于水、朋友间情重于山的证明。有些外国人说中国人的聚餐不卫生,浪费食物,这是他们对中国的传统文化的无知。如果像外国人那样,各点各的菜,各吃各的饭,甚至实行 AA 制,各付各的账,那种进餐方式不是太冷漠、太没有人情味了吗?

香茗美酒万千情

中国是酒的王国,茶的故乡。茶与酒是中华民族独具特色的饮料。独饮,自斟自酌,疗疾健身,自得其乐,品味人生;聚饮,交朋结友,舒展襟怀,激发情感,成就事功。千百年来,中华民族的先民们,饮酒品茶,林林总总,风情万千,谱写了一篇篇说不完道不尽的风俗史话。

一、明心见性的品茶风俗

中国是茶的故乡,先民们自古以来就有饮茶的习俗。陆羽《茶经》说:"茶之为饮,发乎神农。"神农即是距今 5000 年前的炎帝,此传说虽未必是信史,但华夏族的先民们饮茶的历史悠久是无可怀疑的。《华阳国志》记载,周代初期茶由巴蜀传入中原,最初叫做"荼",唐代人陆羽改"荼"为"茶",茶之名由此而始。茶的种类繁多,按加工的不同分为绿茶、红茶、白茶、花茶、乌龙茶、紧压茶六大类,各类茶中皆有佳品。杭州的龙井茶、浙江顾渚的紫笋茶、湖南洞庭湖的君山银针茶、安徽六安的瓜片茶、福建武夷山的大红袍等都是世代共誉的名茶。

秦汉时期,人们已经习惯于把茶作为饮料,特别是巴蜀地区饮茶之风更甚。三国、两晋时,饮茶已经成为时尚。晋人张载特别爱茶,到成都一座茶楼上写了一首专为颂茶的《登成都楼诗》:"芳茶冠六清,溢味播九区。人生苟安乐,兹土聊可娱。"把饮茶看成是人生之乐,乐不思归。

唐代时人们饮茶成风,饮茶之风扩传北方广大地区,全国各地茶馆处处可见。长安荟萃了大唐的茶界名流文人雅士，他们办茶会、写茶诗、著茶文、品茶论道、以茶会友。唐代品茶诗中最著名的要算是卢仝《走笔谢孟谏议寄新茶》，诗中讲品茶的韵味："一碗喉吻润。二碗破孤闷。三碗搜枯肠，唯有文章五千卷。四碗发轻汗，平生不平事，尽向毛孔散。五碗肌骨轻。六碗通仙灵。七碗吃不得也，唯觉两腋习习清风生。蓬莱山，在何处，玉川子乘此清风欲归去。"正是在这种风气之下，产生了陆羽的《茶经》。《茶经》对唐代茶叶历史、产地、功效、栽培、采制、煎煮、饮用的知识和技术都作了阐述。首倡品饮艺术，把儒、道、佛三教精神与饮茶活动融为一体，开中国茶道之先河，《茶经》把茶文化发展到一个空前的高度，对中国茶叶生产和饮用风气都起了巨大的推动作用。陆羽也因此被后人称为"茶圣""茶神"。

　　唐代社会的饮茶之俗也风行于佛家寺院。佛教重视坐禅修行，息心静坐，聚思悟道，通常坐禅长达数日，久坐困乏，因而具有清心提神的茶叶便应运而生，成为佛家信徒的最爱，故佛门流行"茶禅一味"，"以茶助禅"，"明心见性"。同时，佛家持淡薄的人生态度，抑欲忌荤，提倡素食，清淡茶汤无疑是最佳饮品。且茶性洁净，久饮助人寂静斯文，为佛教平添一份高雅色彩，更与僧人结下不解之缘。许多僧人好茶，到了"唯茶是求"的地步。对僧人嗜好茶饮的风气，古代诗人陆容有诗咏道："江南风致说僧家，石上清泉竹里茶。法藏名僧知更好，香烟茶荤满袈裟。"因为饮茶成了寺院佛事活动中必不可少的组成部分，所以，到唐宋时期，我国寺院中也逐渐形成了一整套庄严肃穆的茶礼和茶宴。在僧侣多达千人的茶宴上，要坐谈佛经，也谈茶道，并赋诗。茶宴有一定程式，先由主持僧调茶，以表对全体佛众的敬意。然后由僧人一一献给宾客，称献茶。宾客受茶后闻香品尝，再评茶，称赞茶叶好,主人品德高。这样把佛教清规、饮茶礼仪与佛学哲理人生观皆融为一体。"茶禅一味",创造了饮茶高雅深邃的意境,佛教茶文化成为中国茶文化的重要组成部分。

我国古代有"茶兴于唐,盛于宋"之说。宋代皇室和上层社会嗜茶成风,饮茶之风更为盛行。宋徽宗赵佶不但亲自撰写了《大观茶论》一书,对茶的产制、烹试及品质各方面都有详细的论述,还画了一幅描绘北宋时期文人雅士品茗雅集场景的《文会图》。

宋徽宗赵佶文会图

品茗雅会的地点选在一所幽静的庭园,旁临曲池,石脚显露。四周栏楯围护,垂柳修竹,树影婆娑。树下设一巨型贝雕黑漆桌大案,案上有丰盛的果品、各种杯盏等。八位文士围坐案旁,或端坐,或谈论,或持盏,或私语,儒衣纶巾,意态闲雅。竹边树下有两位文士正在寒暄,拱手行礼,神情和蔼。垂柳后设一石几,几上横仲尼式瑶琴一张,香炉一尊,琴谱数页,琴囊已解,似乎刚刚弹奏过。大案前设小桌、茶床,小桌上放置酒樽、菜肴等物,一童子正在桌边忙碌,装点食盘。茶床上陈列茶盏、盏托、茶瓯等物,一童子手提汤瓶,意在点茶;另一童子手持长柄茶杓,正在将点好的茶汤从茶瓯中盛入茶盏。案旁稍远处有一备茶的地方,一方形茶炉炉火正炽,正在煎水。炉上放置汤瓶、白茶盏、黑盏托,一侍者正从茶罐中量取茶粉置茶盏,准备点茶。美茶贵在美器。宋徽宗《大观茶论》论及茶器时曾说:"盏色贵青黑,玉毫条达者为上,取其焕发茶采色也。""茶筅以箸竹老者为之,身欲厚重,筅欲疏劲,本欲壮而末必眇,当如剑瘠之状。""瓶宜金银,小大之制,唯所裁给。""勺之大小,当以可受一盏茶为量。"文中所说这些器具几乎在《文会图》中均能看到实物。《文会图》真切再现了宋代上层社会品茶雅会的情景,是当时饮茶风俗的绝妙记录。

皇帝对茶的嗜好大大推动了饮茶风气的盛行,茶成为家家户户必备的生活用品。王安石《论茶疏》说:"茶之用,等于米盐,不可一日无。"茶在生活中的重要性已经与米、盐相提并论。

明清时期饮茶风俗又发生许多重大变化。唐宋以前多是团饼茶,饮茶必须要煎煮。明太祖朱元璋正式废除团饼茶。皇室提倡饮用散茶,民间蔚然成风,由此也就将过去的煎煮法改为冲泡法,简便自然的饮用方法广受人们喜爱,这是饮茶方法史上的一次革命。

茶馆,古称茶肆、茶坊、茶楼。萌发于唐代,发展于宋代,鼎盛于明清,尤以清代茶馆最为鼎盛,遍布城乡,数不胜数,并且逐渐发展出来各具地方特色的茶饮习惯和文娱活动的茶馆文化形态。茶馆成为重要的社会文化活动场所。茶饮已融入日常生活和民俗民风的方方面面。茶文化由茶宴、茶会、茶道向茶馆的发展,反映了茶事活动由贵族化、文人化走向大众化的发展历程,成为一种全国全民性的风俗,并且影响到社会生活的形态和生活方式。

适应茶叶撮泡的需要,明清时期在茶馆中产生并发展起来的"功夫茶",经过文人雅士的加工提炼而成为一种新的品茶技艺。功夫茶先是流行在浙江一带的都市里,后来逐渐扩展到闽、粤等地。清代功夫茶的中心转移到闽南、潮汕一带,至今"潮汕功夫茶"名称享有盛誉。功夫茶讲究茶具的艺术美,冲泡过程的程式美,此外还追求环境幽静、音乐清雅的意境美,至今仍是茶艺馆里的主要泡茶方式。

综观中国数千年的饮茶风俗,饮茶实际上包括两个方面的功能:一是满足生理和心理的需求。喝茶意在解渴,满足生理上的需要,谓之养身;品茶意在引发联想,体味其中的真谛,满足心理上的需要,谓之养性。二是将茶作为一种招待宾朋的饮料,以茶待宾,是古今各种人家的重要待客风俗。饮茶内养身心,外和人际,将两者巧妙地结合在一起即是"茶道"。

"内养"之道,茶以养生,这是茶道的根本。养生又包括养身与养性两个部分。养身就是以茶止渴,以茶祛疾,以茶保健。茶之始本来即是药。《神农百草经》说:"神农尝百草,日遇七十二毒,得荼(茶)而解之。"《神农食经》说:"茶茗久服,令人有力、悦志。"在先秦时期,茶主要还是作为药用。茶有解毒、提神、利尿、化瘀、清食等多种作用。但如何才能更好地发挥它的效力而避免其副作用呢? 这在饮茶时就要讲究饮用什么样的茶、什么样的水、什么样的火候、什么样的器皿、什么样的饮法等等。养性就是以茶调解情绪,平衡心态,修养品德,陶冶情操。这主要是通过对茶的品而获得。品茶即通过对茶的观赏、闻香、品尝而获得美感,引发联想,感悟其中的真谛。古人品茶特别重视周围的环境,以青山绿水、小桥亭榭、琴棋书画、幽居雅室为品茶的佳境。在这样优美、宁静的环境中,静观清茶,慢品香茗,内心为之净,杂念由之清,有助于解脱烦恼,平衡心态。故宋徽宗赵佶《大观茶论》说:"茶之为物……冲淡闲洁,韵高致静。"钱起《与赵莒茶宴》诗云:"竹下忘言对紫茶,全胜羽客醉流霞。尘心洗尽兴难尽,一树蝉声片影斜。"通过茶把外幽静与内清净融而为一,从清静中培养灵气,如道士悟道,佛子参禅,使灵魂得到净化,思想得到升华。此为内养心性的妙用。

"外和"之道,以茶和人。它集中体现在和、怡、真三个字上。茶是沟通人际关系,增进感情的桥梁。古今深悟茶道的人都把"和"视为茶道的核心。中国是礼仪之邦,以茶待客,这是千百年来的古老习俗。"有朋自远方来,不亦乐乎",一杯清新可口的茶水,不仅可以使风尘仆仆的客人清心疗渴,稍解旅途的劳顿,同时也表达出主人殷情待客的厚意。是新朋友,一杯茶立即拉近了距离;是老朋友,一杯茶引起了多少对往事的美好回忆。以茶敬长,这是中国的传统美德。对父母、对长官,奉上一杯茶水,多少敬重之情都在不言中。以茶释怨,也是茶的妙用。一杯茶水送到怨恨者的面前,立刻就会使紧张的形势得到缓解,为下一步的解释、谈判营造一个好的氛围。以茶和友、和亲、和长、和敌,创造出一个"人和万事兴"的局面,对个人来说是怡乐,对他人来说也是怡乐。怡乐之中体现出人间的真情、真意、真谛。一杯清茶,引发出和谐、怡乐、真情,这就是茶道,这就是茶的文化内蕴。

二、壶底洞天的饮酒风俗

中华民族的先民们,饮酒的风俗源远流长。据《初学记》引《世本》说:"仪狄始作酒醪,变五味,少康作秫酒。"仪狄是夏禹的臣子,他所造的酒是一种粗劣的浊酒。少康是禹的六世孙,又称为杜康。他以粮食造酒,提高了酒的质量。所以后世尊仪狄、杜康为造酒的始祖。实际上酒的起源比古史传说的更为古老。在距今 5000 年左右的龙山文化遗址中,出土了一些陶器,据专家考证,有许多就是酒器,说明在原始社会的晚期就已经出现了酒。仪狄、杜康严格地说或许只是造酒技术的改进者。夏王朝与商王朝的统治者,饮酒成风,特别是商纣王,"酒池肉林",终日与贵族们饮酒作乐,以酒废政,最后导致了商王朝的灭亡。周公鉴于商亡的教训,特颁《酒诰》,告诫他的子孙们不得随意饮酒,荒废政事,违者处死。从西周出土的铜器看,酒器明显减少,看来周公的禁酒令还是发挥了一定的作用,但造酒并未停止。周代不仅有专门管理造酒的酒正、浆人、大酋等官员,在《礼记·月令》中还有十分精辟的制酒经验的总结。两汉时期虽然有禁酒的政策,但汉中的麦酒、金浆酒、椒酒都是名闻遐迩的美酒。葡萄自西汉时张骞出使西域引入内地之后,至东汉时开始用它造酒。《艺文类聚》卷七十八引《续汉书》:"扶风孟陀以葡萄酒一升遗张让,即称凉州刺史。"这是我国目前见到的最早的关于葡萄酒的记载。三国时,魏文帝曹丕曾召群臣说:"且说葡萄……酿以为酒,甘于曲蘗,善醉而易醒。"这是我国酿造葡萄酒最早的记载。说明了汉代造酒业的发展。隋唐统一后,酿酒业进一步发展,酒的名目繁多,所有的酒都冠以"春"的雅号。"谁家无春酒,何处无春鸟",几乎是家家饮酒。唐太宗曾从西域高昌引进优质的马乳葡萄和酿酒方法,在宫中酿成"味兼醍盎"的葡萄酒,颁赐群臣,京师始"识其味"。所以唐诗中才有"葡萄美酒夜光杯"的名句。唐代饮酒之风盛行全国各地的各个阶层,著名文人,几乎个个都是酒徒。李白自称"酒仙",白居易自称"醉尹"。杜甫还特作《饮中八仙歌》,如此等等反映出了当时造酒、饮酒的盛况。不过,这时的酒都是酿造的米酒,酒精的含量不高。

大约在南宋时期,产生了蒸馏酒。因其烧火蒸馏,浓度高,且可点燃,故又称为烧酒。烧酒的产生是酒发展史上的里程碑。宋、元以后,烧酒的发展很快,成为我国有代表性的酒类。清代是古代酒的集大成时期,出现了茅台、洋河大曲、泸州老窖、竹叶青、花雕等著名于世的美酒。康乾盛世,社会安定,一派承平景象,社会上饮酒之风颇盛,晚清时更是奢靡之风盛行,饮宴殆无虚日。清人饮酒趣事极多,豪饮之士亦不少。著名清官于成龙,康熙平三藩之乱时,守卫武昌城,计擒大冶黄金龙,捷报传来,一席之饮酒"数十巨觥",被人称为酒狂。乾隆间大学士刘权之,"平生饮最豪",可以三昼夜不停杯,也不醉,与之同饮之人大半于一日半日逃席而去,被他称之为吃短命酒。数千年来,先民们一直把酒视为饮中极品,称之为琼浆玉液。凡年节吉日、婚丧嫁娶、庆生奠死、宴亲飨客、洗尘钱行、壮勇庆功、治病佐药……生活的方方面面几乎都离不开酒。它使多少英雄壮怀激烈,成就大业;它使多少昏君贪杯恋盏,丢掉江山;它使多少才子灵感勃发,诗文百篇;它使多少狂徒道德沦丧,身败名裂……醇美的酒,神奇的酒,快乐的酒,惹祸的酒,成功的酒……酒!酒!酒!说不完道不尽的酒。

1. 酒以养生

古人对酒有治病、保健、养生的功能早有认识。历代医家素有以酒治病的习俗。《汉书·食货志》说:"酒者,天之美禄,帝王所以颐养,天下享祀祈福,扶衰养病,百福之会。"又说:"酒百药之长。"在中国古代,医与酒是分不开的。所以繁体的医字写作"醫"。"医"表示外部创伤;"殳"表示按摩、针灸;"酉"即是酒,表示内服药。用酒泡大黄、白术、桂枝、桔梗等制成的屠苏酒,是古代除夕男女老幼必用之品。端午节饮艾叶酒,重阳节饮菊花酒以避瘟疫。《千金方》载:"一人饮,一家无疫;一家饮,一里无疫。"可见药酒在古代预防疾病的重要性。李时珍在《本草纲目》中列举了 69 种有不同功效的药酒。如五加皮酒可以"去一切风湿痿痹,壮筋骨,填精髓";当归酒"和血脉,壮筋骨,止诸痛,调经";人参酒"补中益气,通治诸虚";黄精酒"壮筋骨,益精髓,褒白发"等。酒不仅能够治病,也能够保健,适量饮酒有益于健康长寿。历史名人善饮酒的孔子 73 岁,荀子 80 多岁,贺知章 86 岁,刘禹锡 71 岁,白居易 74 岁,陆游 86 岁。这在"人活七十古来稀"的古代都是高寿者。

2. 酒以娱乐

酒在中国古代被誉为"琼浆玉液"。之所以这样受到人们喜爱,就在于酒是一种兴奋剂,饮酒能够把人们的各种情趣都激发出来,给人带来一种奇妙的愉悦。李白的《将进酒》:"人生得意须尽欢,莫使金樽空对月",酒是与欢乐连在一起的。古今各种娱乐活动多是以酒助兴。金樽美酒,歌舞美人,琴瑟美乐,把欢乐气氛推向高潮。

在历代饮酒习俗中,常以行酒令助兴。酒令是筵宴上助兴取乐的饮酒游戏,最早诞生于西周,完备于隋唐。饮酒行令在士大夫中特别风行。后汉贾逵撰写《酒令》一书,清代俞效培辑成《酒令丛钞》四卷。行酒令的方式可谓是五花八门。文人雅士与平民百姓行酒令的方式自然大不相同。酒令分雅令和通令。雅令多是在士大夫阶层中流行,其行令方法是:先推一人为令官,或出诗句,或出对子,其他人按首令之意续令,所续必在内容与形式上相符,不然则被罚饮酒。行雅令时,必须引经据典,分韵联吟,当席构思,即席应对,这就要求行酒令者既有文采和才华,又要敏捷机智,所以它是酒令中最能展示饮者才思的节目。《红楼梦》第四十回写到鸳鸯作令官,喝酒行令的情景,描写的是清代上层社会喝酒行雅令的风貌。在民间流行通令,其行令方法主要掷骰、抽签、划拳、猜数等。通令很容易造成酒宴中热闹的气氛。但通令捋拳奋臂,叫号喧争,有失风度,显得单调、嘈杂、粗俗。

3. 酒以致礼

古代以酒祭祀鬼神、敬奉尊长,世代承袭,成为不可更易的礼俗。《左传·庄公二十二年》说:"酒以成礼。"《汉书·食货志》也指出:"百礼之会,非酒不行。"饮酒是一种文化,它的核心就是"礼敬",以各种礼仪的形式表达敬意。所以古人饮酒之礼,必须遵循先天地鬼(祖宗)神,后长幼尊卑的顺序。古代饮酒有以下一些礼俗:主人和宾客一起饮酒时,要相互跪拜。晚辈在长辈面前饮酒,叫侍饮,通常要先行跪拜礼,然后坐入次席。长辈命晚辈饮酒,晚辈才可举杯;长辈酒杯中的酒尚未饮完,晚辈也不能先饮尽。饮酒的礼仪约有四步:拜、祭、啐、卒爵。就是先作出拜的动作,表示敬意,接着把酒倒出一点在地上,祭谢大地生养之德;然后尝尝酒味,并加以赞扬令主人高兴,最后仰杯而尽。在酒宴上,主人要向客人敬酒,叫做酬;客人要回敬主人叫做酢;敬酒时还有说上几句敬酒辞。客人之间相互敬酒叫做旅酬。有时还要依次向人敬酒叫做行酒。敬酒时,敬酒的人和被敬酒的人都要避席,起立。普通敬酒以三杯为度。

古代盛行各种各类的祭祀和宴会,逢祭、逢会必饮酒。祭祀天地鬼神、列祖列宗之礼,若无酒则无以表达尊天敬祖之情;婚嫁之礼,无酒则无以告天地,无以明白头偕老、忠贞不二的爱情之誓;丧葬之礼,无酒则无以寄托哀思,表达至孝之心。总之,无酒不成礼,无酒不成俗。其实喝酒并不是目的,而是一种手段。所谓"醉翁之意不在酒",而是通过以酒敬鬼神,祈福免灾;通过以酒敬人,求得援助支持或化干戈为玉帛。酒以致敬,敬则生和。

4. 酒以成事

古人常常把饮酒作为一种干事、成事的手段。古代两国结盟，要以酒盟誓，帮会、集团结盟也要以酒盟誓。《三国演义》中刘备、关羽、张飞桃园三结义即"宰牛设酒"，焚香而誓，在"桃园中痛饮一醉"，从此三人成为生死与共的兄弟，成就了雄踞西蜀，立国续汉的大业。

三国时吴国的大都督周瑜，在他的老同学蒋干受曹操指派来当说客时，聚集江东群英，大摆酒宴，招待蒋干，一直喝到深夜。周瑜佯装大醉之状，故意将机密书信置于帐内桌上，又作呓语暴露军机，使蒋干中计，得假情报报告曹操，使曹操杀了水军都督蔡瑁、张允，最后在赤壁大战中大败曹操。

宋太祖赵匡胤更是一个以酒谋大事、成大事的高手。公元 959 年后周世宗病死，子柴宗训即位，年方 7 岁，大权落在握有兵权的赵匡胤手中。次年二月，赵匡胤借口抵御北汉和辽军的南犯，率军北上。行至陈桥驿，暗中授意他的弟弟赵匡义等将领谋变。他佯装不知，喝得酩酊大醉。一觉醒来，部将们将他"黄袍加身"，当上了皇帝。但当上了皇帝的赵匡胤却一直惴惴不安。他非常担心那些手握重兵的部下也效仿他当年的作为，使自己的江山易主。于是在公元 961 年，他安排一次酒局，"杯酒释兵权"。召集中央禁军将领石守信、王审琦等武将饮酒。酒席上赵匡胤唉声叹气不息，告诉众将担心他们有朝一日也被"黄袍加身"，众将大惊，纷纷交出兵权，告老还乡。公元 969 年，他再布酒局，召集各地节度使王彦超等宴饮，酒酣耳热之时，解除了他们的藩镇兵权。中央和地方的兵权都掌握在皇帝一个人手中，巩固了他的统治。那些处在危险境地的人也常常用酒来行韬晦之计以自保。如魏晋时代"竹林七贤"之首的阮籍就是以酒解忧避祸的。

5. 酒以壮勇

酒是一种兴奋剂,"酒壮英雄胆"。古人多有以酒激勇壮志。荆轲刺秦王,行前以酒壮志,"风萧萧兮易水寒,壮士一去兮不复还",可谓是壮酒悲歌的绝唱。《水浒》中的武松在景阳冈酒家一连喝了十八碗酒后,明知山有虎,偏向虎山行,醉酒打死了吊睛白额大虫,正是一种"酒勇"。宋江在浔阳楼酒后题反诗:"他日若遂凌云志,敢笑黄巢不丈夫。"也是酒壮英雄胆。酒能使怯者勇、疲者振,是鼓舞士气的良药。历代统治者都深明此理,因此,他们常常在出征时赐酒以壮军威,作战时赏酒激励士气。《三国演义》里"甘宁百骑劫魏营"的故事也与此类似:甘宁精选壮士百人,分给他们每人一瓶酒,他们喝了以后,个个精神饱满,斗志昂扬,夜袭魏营,敌人望而生畏,百人尽皆生还。

6. 酒以激情

中国古代的许多大诗人、书法家、画家大多与酒结下不解之缘。他们钟情于酒、沉醉于酒几乎达到如痴如狂的程度。饮酒而吟诗、书画是历代文人雅士习尚。酒的兴奋作用还在于它能激发人的灵感,使人产生一种奇特的构思、浪漫的幻觉,对于那些素有才智的人,往往会产生一种"若有神助"的创造力。大诗人李白"斗酒诗百篇,醉后诗如泉";杜甫"醉里从为客,诗成觉有神";辛弃疾说他是"醉时拈笔越精神"。酒之于诗人,称之为"钓诗钩",恰当不虚。他们以酒咏志,以酒言情,以酒送别,以酒抒发对家国之爱,对丑恶之恨……酒也使书法家、画家之笔驰而生神。晋代王羲之醉写《兰亭序》,醒时反复再写而不及;唐代张旭的草书,皆醉后大呼狂走,索管而挥,落笔如烟,人称"狂草",醒后自视以为神,不可复得,世称"张颠"。唐代大画家吴道子,宋代画家包鼎、包贵父子,明代画家唐伯虎,清代画家郑板桥,都是借酒兴而作画，成传世之作。正所谓是"问君何举如椽笔，跃上云端酒使狂"。

7. 酒以接风送别

"有朋自远方来，不亦乐乎？"以酒为宾朋接风洗尘，是各民族古今通俗。久别老友，"一壶浊酒喜相逢，古今多少事，都付笑谈中"。少数民族最重视以酒迎接宾客。蒙古民族对来客，不论是老朋友还是陌生人，一见面总是热情招待，把酒壶托在哈达上敬酒，有时还唱一些表示欢迎和友好的歌曲来劝酒：远方的朋友一路辛苦，请你喝一杯下马酒，洗去一路风尘，来看看美丽的草原；草原就是你的家，来尝尝香甜的美酒……朋友离别，必设宴以酒送行，表达恋恋不舍、依依惜别之情。唐代诗人王维的《送元二使安西》诗，活画出了古人送别的场面，是以酒壮行风俗的缩影："渭城朝雨浥轻尘，客舍青青柳色新。劝君更尽一杯酒，西出阳关无故人。"分手之际的一杯送别酒，将深切的惜别、关切、担忧等复杂的感情都寄寓在酒中。这里面，不仅有依依惜别的情谊，而且还包含着对远行者处境、心情的深切体贴，以及对前途一路平安的祝愿。喝下的是酒，带走的是情。

8. 酒以喜庆致贺

古往今来，人们都有用酒来表示喜庆和祝贺的习俗。年节皆以酒来欢庆家人的团聚与幸福，不同的节日往往还要饮用不同的酒。岁首元旦吉祥酒。陆游诗《除夜雪》："半盏屠苏犹未举，灯前小草写桃符。""屠苏"就是新年除夕之夜所饮的酒。五月端午辟邪酒。饮菖蒲酒、雄黄酒、蟾蜍酒，祛瘟除恶。八月中秋团圆酒。中秋月圆，民俗饮桂花酒祭天上月圆，贺人间家圆。九九重阳长寿酒。《荆楚岁时记》载："九月九日佩茱萸，食饵饮菊花酒，云令人长寿。"菊花酒是重阳节所饮之酒。

我国一些少数民族,每逢节日更是把酒邀欢,举族相庆,载歌载舞。如台湾高山族每年秋天收获以后,要欢庆丰收。节日期间,各个部落、村寨都要聚众会饮。《番社采风图考》载:每岁收粟时,通社欢饮,男女杂坐地上,酌以木瓢、椰碗,互相酬酢,不醉不止。其交好亲密者,取酒灌之,流溢满地,以为快乐。不醉不回家。《西藏志》载:藏族的传统节日有藏历年、雪顿节、望果节等。节日之时,藏族男女"皆华服盛饰,群聚歌饮,带醉而归,以度岁节"。

以酒祝寿,在我国已有三千多年的历史。《诗经·豳风·七月》中说:"跻彼公堂,称彼兕觥,万寿无疆。"意思是说众人跻身公堂,举起牛角酒杯,祝主人万寿无疆。这是先秦时期以酒祝长寿的习俗。宋代黄庭坚诗云:"欲将何物献寿酒,天上千秋桂一枝。"可见宋代是以桂花酒作寿酒的。清初,盛京民间是以白酒作为寿酒的。寿宴上,寿星坐在正席首位。宴席开始,从长子夫妇、长孙起,要依次为寿星斟酒祝寿,并诵祝寿、祝福的吉祥语让老寿星高兴。如:"寿比南山""福高寿永""长命百岁""福如东海""多福多寿""福寿双全"等等。

酒也用来表示良好的祝愿。如祝贺新婚必须用酒。"喜酒"就是婚礼的代名词。婚宴上来宾以酒祝贺新郎新娘,新郎新娘以酒酬答来宾。新郎新娘入洞房后的第一件事就是喝交杯酒,古称合卺礼,就是表示从此合二为一,永结百年之好。古代的婚礼以饮酒祝贺习俗一直传承至今日,数千年不衰。

酒也用来庆功。战争大捷、将士凯旋用酒来庆祝。传说甘肃酒泉就是由汉武帝以酒犒军而得名。汉武帝元狩二年(前121年),骠骑将军霍去病击败匈奴,武帝赐御酒一坛,犒劳有功将士,但酒少人多,于是霍去病倾酒于泉中,与众共饮,故称此泉为酒泉。以酒庆捷的规模之大,还得说清朝乾隆之时。乾隆二十四年(1759年)新疆大小和卓木(博罗尼都和霍集占)发动的叛乱被戡平。捷报传来,乾隆帝异常兴奋,以空前的规模在承德避暑山庄设宴,与争先入贡祝捷的哈萨克、布鲁特诸部的头目,蒙古各旗的王公贵族和许多满汉官员一起饮酒聚欢,共庆平叛的胜利。

《礼记·礼运篇》说:“饮食男女,人之大欲存焉。”饮食是人类生存的第一需要。万千年来中国古代的先民们,以大无畏的精神,勤劳勇敢的智慧去寻找、捕捉、培植、豢养一切可吃可饮的食物。西汉刘安《淮南子·修务训》记载:“古者民茹草饮水,采树木之实,食蠃蚌之肉,时多疾病毒伤之害。于是神农始教民播种五谷,相土地宜燥湿肥饶高下,尝百草之滋味,水泉之甘苦,令民知所避就。当此之时,一日而遇七十毒。”这正是先民们以生命为代价寻找食物、开发食物资源的写照。但中国传统的饮食风俗并没有停留在仅仅是为了果腹维生的阶段,而是在“食不厌精,脍不厌细”的道路上不断地探索发展。各个地区的各个民族,互相交流、互相学习、融合创新,形成了中华民族独具特色的饮食风俗。它所体现的“民以食为天”的探索精神,海纳百川的学习精神,追求至善至美的进取精神是中华民族传统文化的瑰宝。数千年来,中国先民们在食源开发、食具研制、食品调理、营养保健和饮食审美等方面的诸多创造与积累皆居于世界前列,中国的美食已经成为各国人民的至爱,并深远影响周边国家的饮食文化,这是中华民族对人类文明所作出的巨大贡献。

原典选读

原典选读之一《吕氏春秋·本味篇》节选

《吕氏春秋》是战国末期在秦国丞相吕不韦主持下，集合门客编撰的融合各家学说的著作。其中的《本味篇》，是伊尹以"至味"说汤任用贤才，推行仁义之道，说明得天下者才能享用人间所有美味佳肴的道理。从中提出了当时人们所推崇的食品和味料及烹饪技术，是我国最古老的烹饪理论，从一个侧面反映出了从商周到战国时期先民们的饮食风俗。

汤得伊尹，祓之于庙，爝以爟火，衅以牺猳。明日，设朝而见之，说汤以至味，汤曰："可对而为乎？"对曰："君之国小，不足以具之，为天子然后可具。夫三群之虫，水居者腥，肉玃者臊，草食者膻。臭恶犹美，皆有所以。凡味之本，水最为始。五味三材，九沸九变，火为之纪。时疾时徐，灭腥去臊除膻，必以其胜，无失其理。调和之事，必以甘酸苦辛咸，先后多少，其齐甚微，皆有自起。鼎中之变，精妙微纤，口弗能言，志不能喻。若射御之微，阴阳之化，四时之数。故久而不弊，熟而不烂，甘而不哝，酸而不酷，咸而不减，辛而不烈，淡而不薄，肥而不膔（腻）。"

肉之美者：猩猩之唇，獾獾之炙，隽燕之翠。述荡之掔，旄象之约。流沙之西，丹山之南，有凤之丸，沃民所食。

鱼之美者：洞庭之鲋，东海之鲕，醴水之鱼，名曰朱鳖，六足，有珠百碧。藋水之鱼，名曰鳐，其状若鲤而有翼，常从西海夜飞，游于东海。

菜之美者：昆仑之蘋；寿木之华。指姑之东，中容之国，有赤木玄木之叶焉。余瞀之南，南极之崖，有菜，其名曰嘉树，其色若碧。阳华之芸。云梦之芹。具区之菁。浸渊之草，名曰土英。

和之美者：阳朴之姜，招摇之桂，越骆之菌，鳣鲔之醢，大夏之盐，宰揭之露，其色如玉，长泽之卵。

饭之美者：玄山之禾，不周之粟，阳山之穄，南海之秬。

水之美者：三危之露；昆仑之井；沮江之丘，名曰摇水；曰山之水；高泉之山，其上有涌泉焉，冀州之原。

果之美者：沙棠之实；常山之北，投渊之上，有百果焉，群帝所食；箕山之东，青岛之所，有甘栌焉；江浦之橘；云梦之柚。汉上石耳。

所以致之，马之美者，青龙之匹，遗风之乘。非先为天子，不可得而具。天子不可强为，必先知道。道者止彼在己，己成而天子成，天子成则至味具。故审近所以知远也，成己所以成人也。圣人之道要矣，岂越越多业哉！

原典选读之二　陆羽《茶经》节选

《茶经》，唐朝人陆羽所著，是中国乃至世界现存最早、最完整介绍茶的第一部专著。全书分上、中、下三卷，共十章。今节选第五、第六两章。

五、茶之煮

凡炙茶，慎勿于风烬间炙，熛焰如钻，使炎凉不均。持以逼火，屡其翻正，候炮出培塿，状虾蟆背，然后去火五寸。卷而舒则本其始，又炙之。若火干者，以气熟止；日干者，以柔止。其始，若茶之至嫩者，蒸罢热捣，叶烂而牙笋存焉。假以力者，持千钧杵亦不之烂，如漆科珠，壮士接之，不能驻其指。

及就，则似无禳骨也。炙之，则其节若倪倪，如婴儿之臂耳。既而，承热用纸囊贮之，精华之气无所散越，候寒末之。其火用炭，次用劲薪。其炭曾经燔炙，为膻腻所及，及膏木、败器不用之。古人有劳薪之味，信哉！

其水，用山水上，江水中，井水下。其山水，拣乳泉、石池慢流者上；其瀑涌湍漱，勿食之。久食令人有颈疾。又多别流于山谷者，澄浸不泄，自火天至霜郊以前，或潜龙蓄毒于其间，饮者可决之以流其恶，使新泉涓涓然，酌之。其江水，取去人远者。井水取汲多者。

其沸如鱼目，微有声为一沸，缘边如涌泉连珠为二沸，腾波鼓浪为三沸。已上水老，不可食也。初沸，则水合量调之以盐味，谓弃其啜余，无乃餡鹾而钟其一味乎？第二沸出水一瓢，以竹筴环激汤心，则量未当中心而下，有顷势若奔涛溅沫，以所出水止之，而育其华也。

凡酌，置诸碗，令沫饽均。沫饽，汤之华也。华之薄者曰沫，厚者曰饽，细轻者曰花，如枣花漂漂然于环池之上。又如回潭曲渚，青萍之始生；又如晴天爽朗，有浮云鳞然。其沫者，若绿钱浮于水渭，又如菊英堕于樽俎之中。饽者，以滓煮之。及沸，则重华累沫，皤皤然若积雪耳。《荈赋》所谓"焕如积雪，烨若春薮"，有之。

第一煮水沸，而弃其沫，之上有水膜，如黑云母，饮之则其味不正。其第一者为隽永，或留熟以贮之，以备育华救沸之用。诸第一与第二第三碗次之，第四第五碗外，非渴甚莫之饮。

凡煮水一升，酌分五碗，乘热连饮之，以重浊凝其下，精英浮其上。如冷则精英随气而竭，饮啜不消亦然矣。

茶性俭，不宜广，则其味黯澹，且如一满碗，啜半而味寡，况其广乎！其色缃也，其馨欤也。其味甘，槚也；不甘而苦，舛也；啜苦咽甘，茶也。

六、茶之饮

翼而飞，毛而走，呿而言，此三者俱生于天地间。饮啄以活，饮之时义远矣哉。至若救渴，饮之以浆；镯忧忿，饮之以酒；荡昏寐，饮之以茶。

茶之为饮，发乎神农氏，闻于鲁周公，齐有晏婴，汉有扬雄、司马相如，吴有韦曜，晋有刘琨、张载、远祖纳、谢安、左思之徒，皆饮焉。滂时浸俗，盛于国朝，两都并荆俞（当作渝）间，以为比屋之饮。

饮有粗茶、散茶、末茶、饼茶者。乃斫，乃熬，乃炀，乃舂，贮于瓶缶之中，以汤沃焉，谓之庵茶。或用葱、姜、枣、橘皮、茱萸、薄荷之等，煮之百沸，或扬令滑，或煮去沫，斯沟渠间弃水耳，而习俗不已。

于戏！天育万物皆有至妙，人之所工，但猎浅易。所庇者屋，屋精极；所着者衣，衣精极；所饱者饮食，食与酒皆精极之。茶有九难：一曰造，二曰别，三曰器，四曰火，五曰水，六曰炙，七曰末，八曰煮，九曰饮。阴采夜焙，非造也；嚼味嗅香，非别也；膻鼎腥瓯，非器也；膏薪庖炭，非火也；飞湍壅潦，非水也；外熟内生，非炙也；碧粉缥尘，非末也；操艰搅遽，非煮也；夏兴冬废，非饮也。

夫珍鲜馥烈者，其碗数三；次之者，碗数五。若坐客数至五，行三碗，至七，行五碗。若六人以下，不约碗数，但阙一人而已，其隽永补所阙人。

拜神祈福——民间信仰与禁忌风俗

　　民间信仰与禁忌风俗是指在长期的历史
发展过程中,民众自发地对具有超自然力的精
神体的信奉、崇拜与畏惧。它是由原始宗教在
民间的传承、人为宗教在民间的渗透、民众对
迷惑不解事物的俗信混杂而成的民俗事象。
民间信仰与禁忌风俗是一种宗教信仰。宗教
信仰就形式而言,有寺院宗教信仰和民间信
仰。寺院宗教信仰是指在寺院内由专职的神
职人员进行有组织、有规则、有固定信仰对象、
有经典、有理论的正规制度化宗教活动。而民
间信仰则多是无宗教组织(或松散型组织)、无
完备信仰神系、无宗教经典、无系统宗教理论
的非制度化宗教。具有民间性、自发性、神秘
性、分散性、功利性、区域性、民族性等自然宗
教的特点。民间信仰与禁忌风俗源远流长,凝
结着中华民族数千年来的文化心理积淀,是中
国传统文化的重要载体,并随着时间的推移、
社会的发展及中外文化的交流而不断嬗变和
演进。

信仰禁忌渊源远

　　在距今两万年前后的北京周口店山顶洞人遗址,分上下两层,其上层是当时人们的居住地,下层深处则为死者的墓地。整齐排列的遗骨都配有装饰品,显然是让死者在另一个世界享用。骨架周围有赤铁矿粉末撒成的围圈,是防御其他鬼魂来侵害。这是当时最真实生动的信仰风俗的遗留。

　　最初的信仰风俗是一种萌芽中的原始宗教形态,其产生的历史是非常古老的。历史学家和考古学家们认为,至迟在旧石器时代的中期,即母系氏族公社的萌芽和形成时期,人类就已经有了宗教信仰的萌芽,它是基于一种万物有灵的观念。在古老的洪荒时代,原始人对自身和周围的外部自然环境都是毫无所知的。智力的逐步开化使他们力求去探索。这种探索首先是从对自身的认识开始的。他们不了解自身的结构,不明白做梦的原因,不明白生与死的区别。自己本来是在山洞中睡觉,却感觉到自己是在外面奔跑捕猎,并且还经常在梦中看到自己熟悉的人和那些已经死去的人。久而久之,感到好像有一种存在于体内又能游离于体外的东西,它是一种看不见、摸不着,有生命力而又能够永存的幻影,人们称它为灵或灵魂。死去的人其灵魂叫做鬼。《说文解字》云:"人所归为鬼。"人死魂气归于天,形骨归于地,魂亦能归附于人,所以称为鬼。梦中的经历,使他们感到灵魂既能助人又能害人,由此人们对它产生了一种幻想、崇敬和恐惧的心理而加以崇拜。外部的自然界,风雨雷电、日月星辰、水火山川、鸟兽虫鱼等,既是人类生存所必需,又能成灾为害于人。原始人类对自然界的这些利与害,同样不能理解。他们由自身而推及外物,人有灵魂,自然界的万物也应该同样有灵魂。这些灵魂具有惠利于人、为害于人的强大威力,因而人们对它们既有感恩之情,又有恐惧之心。他们把这些具有极大威力的自然界的万物之灵称为神,诸如风神、雨神、日神、月神、山神、水神、虎神等。长久与肉体相结合的灵魂永存不灭的则称为精或者仙,如狐狸精、蛇仙等等。由此而产生一系列对动物崇拜的信仰习俗。出于英雄崇拜的心理,人们把那些历史上的英雄及各类杰出的人物都尊称为神,如善战的蚩尤为战神,善耕的周人酋长后稷为农神,善造酒的杜康为酒神,善造器物的鲁班为工匠神,著作《老子》的李耳为道教之祖太上老君,以忠勇称著的关羽为关圣帝武财神等,比比皆是。他们生前是伟人,死后不灭的灵魂即成为神,仍然会在人世间发挥巨大作用。人类对各种鬼神的崇拜与畏惧世代传承,形成了各种各类的民间信仰禁忌习俗。

民间信仰神灵多

汉族、藏族、满族、蒙古族等一些民族是多神崇拜的民族。与笃信基督教、伊斯兰教的民族比较起来,其信仰不仅偶像是多元的,内涵也是模糊的,祈祷活动更表现为一种明显的功利性。

汉族信仰的神灵非常庞杂,天地万物都各有其神。英雄及各类杰出人物死后其灵魂也可以成神,没有死的至高无上的皇帝也是神,是天之子,号称天子,是天帝在人间的代表。皇帝所写的字、所赐的物要供奉起来,它不仅是荣誉,也是镇宅兴家之宝。

自古以来,汉族人的信仰都是兼容的,不是排他的。一个人既可以信奉自己的祖先,又可以信奉其他家族成神的神灵,还可以信奉天地、日月、山河、鸟兽虫鱼等万物的神灵;既可以信仰中国的道教,又可以同时信奉外来的佛教。只要符合自己的需要,可以同时求助于各种各类的神灵。在旧中国,人们往往通过跳大神来驱鬼镇邪,既求狐(狐狸)、黄(黄鼠狼)二仙,又请观音菩萨,还请杨二郎、关老爷,可谓是五花八门。只要有用就信仰、就崇拜,这就是汉族千百年来信仰风俗的生动写照。

一、慎终追远祭祖宗

自夏商周三代以来,中国古人素有祭祀祖先的风俗。祭祖是中华民族传统文化的一大特色。中国历史上的祭祖,可以追溯到原始社会父系氏族公社时代。黄帝、炎帝、伏羲、尧、舜、禹等氏族领袖,都被自己氏族当作是始祖祭祀。商代祭祖,甲骨文中多有记载,其祖宗的牌位称为示,藏在宗庙内。祭祀是在宗庙中举行,礼仪多达二十余种,祭祀用牲多达数十头数百头。周代的宗庙是在路寝之东,所谓左祖右社。祭祀时,祖宗是用活人替代,称为尸。祭祀祖宗是分有等级的。天子立有七庙,供奉祭祀从始祖开始的七代祖先;诸侯五庙,供奉祭祀从太祖开始的五代祖先;大夫三庙,供奉祭祀从曾祖开始的三代祖先;士二庙,供奉和祭祀死去的祖父和父亲;庶人无庙,只能在家中供奉和祭祀死去的父亲。庙是专门供奉祖宗的房室。宋代以后,平民也可以祭高祖、曾祖、祖父、父亲四代,而且祭始祖、始迁祖在民间也成为习惯。明代以后平民也可以建家庙。所供奉的历代祖宗的名字写在有座的小木牌上,称为神主。神主按辈分排列,放在神龛之内,接受供奉、祭祀。唐宋时曾流行塑先祖像,明清时曾流行画先祖像,民国以后流行挂先祖照片。在聚族而居的地方,同一宗族一般都有供奉祖先的宗祠,也叫祠堂,祠堂内供有祖先的牌位。据常州地方史志记载,常武地区原有1100座以上的大小祠堂,大都建于明清时期,仅礼嘉地区就有32座。安徽绩溪县龙川胡氏宗祠、广州陈家祠堂、山西晋城皇城村陈氏宗祠、福建南靖塔下村德远堂张氏宗祠等都是全国闻名的宗祠。宗祠要定期集会和祭祖。每逢年节都要祭祖,清明节也要举行祭祀,俗称办“清明会”。祭祖礼仪十分隆重庄严,包括上香、读祝文、奉献饭羹、奉茶、献帛、献酒、献馔盒、献胙肉、献嘏辞(福辞)、焚祝文、辞神叩拜等。有的地方在焚帛烧钱纸时,主祭要在神前献上一杯酒,然后由礼生送至焚帛处,将酒酹在上面,以示祭者献上钱帛之虔诚。在祭祀过程的重要环节,还几次鸣锣击鼓或弦乐伴奏,为祭礼增添热烈气氛。祭礼结束后,将猪肉、羊肉等祭品分给参祭代表,分享祖宗的恩惠。祭祀完毕后,族长还要当众处理族中的公共事务和救济事宜等,如有违犯族规的人,也要在这时处罚。

汉族人信仰祖宗的风俗极具民族特色,之所以传承数千年不绝,是因为汉族的先世——古华夏族是带着氏族社会浓厚的血缘关系进入阶级社会的。夏商周三代,宗法制的大家族与国家的机构是互为里表的。从夏商周三代直到明清的数千年间,宗法制大家族虽有变迁,但从未解体,血缘关系始终是联结人际关系的重要纽带。自古以来的汉族人就认为,在现实社会中,只有一家人、同宗族的人最亲,互相之间才有真诚的帮助。而在所有灵魂中,只有祖宗的灵魂最亲,最能护佑自己的子孙后代。重血亲就必然敬祖宗,因此尊祖敬宗是汉族人最重要的信仰习俗。它既可以求得祖宗的保佑,又能增加大家族的血缘认同感,增强凝聚力。

二、尊师重道敬圣人

中国古代,上自朝廷下至民间,都有祭祀圣人孔子的风俗,两千余年盛行不衰。何谓圣?其智能"于事无所不通",其道德为天下之楷模者称为圣人。圣人也具有神的威灵。赵岐注《孟子·尽心下》:"大行其道,使天下化之,是为圣人。"

在两千多年的封建社会中,儒学与儒家思想居于统治地位,因此儒学的创始人孔子不断地被神化,汉平帝时封其为"褒成宣尼公",隋文帝封其为"先师尼父",唐玄宗封其为"文宣王",宋真宗封其为"至圣文宣王",元武宗封其为"大成至圣文宣王",明世宗封其为"至圣先师",清世祖封其为"大成至圣文宣先师"。他是"德配天地,道冠古今"的"圣人"。华夏民族为了尊崇与怀念至圣先师孔子,对他举行祭祀。祭孔活动可追溯到公元前 478 年,也即孔子卒后第二年,鲁哀公将孔子故宅辟为寿堂祭祀孔子,孔子故居成为世界上第一座孔庙。汉高祖刘邦过鲁,以太牢祭祀孔子,开历代帝王祭孔之先河。汉武帝罢黜百家,独尊儒术后,各地纷纷建孔庙,直至县县有孔庙的盛况,孔庙逐渐演变成封建朝廷祭祀孔子的礼制庙宇。汉明帝刘庄于永平二年(59 年)下令学校皆祀圣师周公、孔子,牲以犬,这是国学、郡学祭祀孔子之始。刘庄又于永平八年(65 年)亲临辟雍,以太牢致祭孔子。永平十五年(72 年)刘庄至鲁,幸孔子故里,祭祀孔子及其七十二弟子。元、明、清三个朝代皇帝为孔子举行国家祭奠的主要场所在北京孔庙。随着历代帝王的褒赠加封,祭典仪式日臻隆重恢弘,礼器、乐器、乐章、舞谱等也多由皇帝钦定颁行。历代帝王或亲临主祭,或遣官代祭,或便道拜谒,总计达 196 次。祭孔大典在古代被称作国之大典。自唐玄宗于公元 739 年封孔子为"文宣王"后,祭祀孔子的活动日盛,明代已达到帝王规格。至清代,祭祀孔子更是隆重盛大,达到了顶峰。清朝仅乾隆皇帝一人就先后八次亲临曲阜拜谒孔子。由于最高统治者大力倡导,祭祀孔子成为全国性的风俗,文庙遍布全国各地,供人祭拜。官私学校每天都必须对孔子顶礼膜拜,作为上课的仪式。文庙祭祀开创了一种新的祭祀模式,是中国尊师重教传统的重要标志。

近代在反封建的大潮中,孔子的思想受到冲击,信仰孔子的风俗日衰。但最近二十余年来,孔子关于仁爱、中庸、和谐的思想受到重视,作为我国优秀传统文化的精华,孔子再次受到社会的广泛尊重。

孔子并不像老子被道教化身为神,文庙祭祀强调的是孔子的文化贡献,尤其是其纲常伦理、道德教化。然而,以另一角度看,儒学在历史上却又实在起到了宗教的某些作用。文庙祭祀虽不能完全等同于宗教活动,却无疑蕴涵着宗教的意义,发挥了宗教的部分功能。所以人们又把孔圣人奉为掌握学子、文人命运之神。每逢科举考试,学子们都要拜孔圣人,求他保佑金榜题名。

三、修福来世礼佛祖

佛教自西汉末年传入中国之后,经过与中国文化的融合,成为中国化了的佛教。由于历代统治者的大力提倡,两千年来不断发展,成为对中国社会影响最大的宗教。信佛、拜菩萨是汉族、藏族、满族、蒙古族等从古至今的信仰风俗。佛教的基本教义,是以"因果报应""三世轮回"为基础的,认为现世人生无常,苦海无边,而种种苦难都是前世的罪孽造成的。只有行善、修行,来世才能获得善果,或去极乐世界,或为大福大贵之人,否则就要下地狱,或变成牛马猪狗。佛祖释迦牟尼是佛教中的最高教主,是普度众生到极乐世界的第一神灵。所以旧时历代信众,无论贫富贵贱,最崇拜的是佛祖。

佛祖释迦牟尼(约前 624 年—前 544 年,一说前 565 年—前 486 年),原名乔达摩·悉达多。古印度释迦族人,本为迦毗罗卫国太子。佛教创始人。成佛后被称为释迦牟尼,尊称为佛陀,意思是大彻大悟的人。民间信仰佛教的人尊称其为佛祖、如来佛祖。佛经中记载,农历的四月初八日是佛祖释迦牟尼诞辰日,二月十五日是释迦牟尼涅槃日,腊月初八日是释迦牟尼成道日。这三天称为佛吉祥日。每逢佛吉祥日,佛教信众都要到寺庙或在家中进行礼佛活动,其中以佛诞日浴佛最为隆重,称为浴佛节。相传在 2600 多年前某年的四月初八日,释迦牟尼从摩耶夫人的肋下降生时,一手指天,一手指地,说:"天上天下,唯我独尊。"于是大地为之震动,九龙吐水为之沐浴。因此各国的佛教徒通常都在这一天来寺院烧香还愿，或礼佛诵经，或布施钱物，或打斋供众，或烧吉祥疏、荐亡疏，或听法师讲经，或请僧人做佛事等，并以浴佛等方式纪念佛的诞辰。是日寺院幢幡宝盖招展，香花灯烛及各色供品林立。香花丛中的几案上安放着一个铜盆，盆中注满了用旃檀、紫檀、郁金、龙脑、沉香、麝香、丁香等配制成的香汤，汤中立着一尊释迦牟尼童子时的铜像。沐浴开始前，寺院住持率领全寺僧众礼赞诵经，随后持香跪拜、唱浴佛偈或念南无本师释迦牟尼佛，僧众和居士们一边念一边依次拿小勺舀汤浴佛。浴完佛像后再用一点香汤点浴自己，表示洗心革面，消灾除难。

藏族人对佛教的虔诚信仰，远远超过其他各个民族。"传大召"是藏传佛教最隆重的礼佛仪式，意为大祈愿法会。法会从藏历正月初三至二十四日，拉萨三大寺僧众及各地信众多至数万人齐集大昭寺进行各种宗教活动。正月十五日夜拉萨八角街陈列酥油灯、酥油花，歌舞庆祝，称为灯节。法会上举行辩经，考选藏传佛教最高学位——格西。法会最后以送鬼仪式结束。

出于对佛的敬奉，藏族信众有许多独特的习俗。

一是佩戴护身佛。每个藏民几乎都在脖子上挂一个嘎乌，即护身佛的小盒。里面装有小佛像、印有经文的绸片、舍利子，或由活佛、高僧念过咒语的药丸，以及活佛的头发、衣物碎片等。小盒有金、银、绸三种，男用方形，女用圆形。藏民们认为有佛护身就能吉祥免灾。

二是转经轮。转经轮俗称转右拉。笃信喇嘛教的藏民识字的极少，不会念佛的经文。传说人手转经轮，每转一圈就相当于念经一遍。所以转经轮就成了藏民们表达真诚信仰的习俗。今在西藏各地，均可见到持转经轮之人，以老年人居多。

三是悬挂经幡。经幡也叫祈祷幢,是用绸绢或布条制成,上面印有经文,系在杆上随风飘动。在藏族居住区,无论是农区还是牧区,都可以看见立于屋顶上或帐篷上的经幡。据说挂经幡、转经轮和捻佛珠都具有同等的效力。风把经幡吹动一下,就相当于念经一次。

四是磕长头与等身头。笃信佛教的俗家藏族男女,为了消灾免祸和祈求来世的幸福,常去寺院磕头拜佛。磕长头是指在磕头时,双手高举触额、口、心各一下,然后双膝跪倒,全身伏地,四肢伸直,额头触碰地面。磕头时要心诚,口念六字真言或祈祷之辞,要磕几百、几千、几万次,常将寺庙内厚厚的木地板磨出深深的沟痕而至穿,几年就得重新一换。可见信徒之多、信仰之诚。

磕等身头是在寺院周围右旋磕头的拜佛礼俗。磕头者每磕一次,用手在磕头的地方划一道横线,下次脚尖齐线,再磕再画线,如此继续下去,俗称等身头。磕头的次数以自己的意愿或活佛卜算而定,围绕寺院一周或几周。还有一种磕法,是朝着佛寺的方向向前移动磕头。有的居住在青海、甘肃的藏民一直这样磕到西藏的拉萨,风餐露宿,时间长达数月或数年。为了避免磨破手和膝盖,磕头者常将手掌护以木板,膝盖上包各类坚皮。直至今日,在西藏的一些通往拉萨的路上仍然可以看到这些磕等身头的虔诚的朝圣者。

四、救苦救难拜菩萨

在民间信仰风俗中,对观世音菩萨的信仰最为普遍,甚至超过佛祖释迦牟尼和其他诸神。唐代避唐太宗李世民的讳,称为观音。“观”实为“听”。据《法华经·普门品》的记述,当众生遭遇困难之时,只要诵念其名号,观世音菩萨即时观其音声,前往拯救。即是听到世界上有受苦难者呼唤她的声音,便前往解救,故称为观世音。在印度佛教中,观世音本是男身,因为他大慈大悲,不分贵贱愚贤,救助一切人的苦难,具有母爱的特点,所以大约在唐代以后逐渐被信徒们描绘为女身。观音有 33 种化身,其法身有千手千眼之像、有踏莲花持宝瓶之像等等。她的雕塑、绘画形象遍布全国各地的寺庙和信众的家庭中。她集智慧、慈悲、平等、救苦救难于一身,最能适应众生的要求,对不同的众生,便现化不同的身相,说不同的法门。因此在中国民间受到最普遍、最广泛的信仰,尤其在中国的江、浙、闽、广、台湾,以及南洋华侨间,观音信仰极为普及,所谓"家家阿弥陀,户户观世音"。浙江的舟山群岛,自古以来也一直被视为观世音菩萨应化的道场。

在东北地区,千余年来民间信仰最为广泛的歪脖老母就是观音的三十三化身之一,被信众们誉为普度众生、有求必应的灵验之神。歪脖老母圣像在辽宁省北镇市常兴店镇素有"八景十二奇观"的青岩寺天然石洞中。青岩寺始建于北魏,盛于中唐,至今有 1500 余年历史。据《东北古迹轶闻》载:当年,这尊石雕观世音佛像雕刻完毕,众僧人选择吉日,率山民抬着佛像进佛殿。可是,由于佛像高,洞口低,无法将佛像抬入洞中。正当众人急得没有办法时,有人戏言:"如果老母把头歪一下,就能进去了。"话音刚落,人们见石佛果真把头歪向一边,众僧人与山民便顺利地将石佛抬入洞中,稳稳地安放在莲花宝座上。众人吃惊,老母显圣了,跪拜之后,便匆匆退了出来。忙乱之中,忘了请老母正过来,所以至今石佛仍然歪着脖子,故称歪脖老母。自古以来,歪脖老母圣灵名闻天下,香火绵延,常年不断。前来祈福许愿者摩肩接踵,还愿者络绎不绝。明朝万历四年,清朝光绪十六年都曾重修。时至今日,信众朝拜如云。

信奉观世音菩萨的习俗历经千余年不衰,不是偶然的,是因为人间苦难常在,不平常有,靠现实的力量难以解脱,只好求助于大慈大悲的观世音菩萨。正所谓是哪里有苦难哪里就有宗教。

五、护国兴家供关公

关圣帝俗称关公、关老爷,千余年来,广大各族民众对关圣帝的信仰敬奉几乎不亚于观音菩萨。据清嘉庆版《关帝圣迹图志全集》记载:在相传为关公受封的这天,男女乡民杀羊宰猪,击鼓吹箫,载歌载舞,前往关庙祭拜。各种戏剧艺人和专替人祈祷的巫师亦在关庙内演出祷告。会武术的拳师相互比试枪棒,练习拳脚,争相献技。参加祭祀活动的人很多,以至于肩摩毂击。而且这种活动遍及山西、陕西、河北、河南、山东等地,几乎占了大半个中国。运城为关公的生养之地,民间祭祀关帝活动比之全国各地更甚,明崇祯年间,解州民间每年祭祀关帝的活动多达四次。据崇祯二年(1629年)《建关圣常平村祖茔祀田碑记》载:"四月初八日关圣受封之期,六月二十二日为诞辰,九月十三日为忌日,五月十三日为赛会。"在这四个时间里,乡民们都要前往解州关帝庙和常平村关圣家庙举行盛大的祭祀活动。

运城民间祭祀关帝的活动有两种形式:一种是以一村、一社或者一族(同姓者)为单位前往关庙祭拜,祭品或村社购买,或摊派制作;祭典由村长、社首、族长主持;锣鼓仪仗均经专门训练,敲打套数、排列秩序亦有讲究。献演的戏剧有的聘请专业班社,有的是本村社的"家戏"登台。另一种是一家一户祭拜,由家长主持,所献祭品薄厚不一,量力而行,贵在诚心。这种"私祭"形式有的前往关庙,有的则在自家正屋神位悬挂关帝画像,焚表上香,顶礼膜拜,祈求关帝保佑,消灾避难,福寿安康。受汉族信仰关圣帝习俗的影响,满族、蒙古族也同样信奉,甚至更为笃诚。

关老爷即三国时期蜀国大将关羽。关羽生前是以忠勇威震华夏,死后被追封为"壮缪侯"。当时人曾在他死处立祠祭祀。后来历代统治者出于巩固统治的需要,逐渐将其神化,关羽因此成为集忠义仁勇于一身的历代楷模。被历代统治者视为护国之神。在中国诸神中,关羽的封号是最为显赫的。宋代哲宗皇帝封其为"显烈王",徽宗皇帝封其为"义勇武安王";明代神宗皇帝封其为"协天护国忠义帝""三界伏魔大帝神威远震天尊关圣帝君";清代顺治帝封其为"忠义神勇灵佑仁勇显威护国精诚绥靖翊赞宣德关圣大帝"。在神班中,关羽原本是籍属道教,但又兼职于佛教,被佛教列为"护法伽蓝"。一身兼二教之神,更是极为罕见。关老爷神职地位高,身为"大帝""圣帝",神通广大——三界伏魔、护国保民,神品高尚——集忠义仁勇于一身。总之,三界的神事、人事、鬼事无所不管,是一位万能万灵的神。因此,信奉者极众。明清时期,随着商品经济的发展,人们又希望万能的关老爷能保佑生意兴隆,财运亨通,因此民间又尊其为"武财神",关羽之庙称为"武庙",其庙数之多、香火之盛,远远超过文庙。阮葵生《茶余客话》中称:"关帝庙遍海寓,一村一庄处处有之。虽塞垣边障,祠宇亦多。"关帝庙遍布全国各地。

随着弘扬传统文化之风的兴起,信仰"关圣帝"的旧俗又有所复兴。近30年来,在我国各地的酒楼饭店几乎家家都供奉关羽,其主要职能是保佑发财。这是因为关羽在神班中又兼职"武财神"。在经济发展的大潮中,"财神"当然是最受欢迎的了。

关羽作为东汉末年驰骋疆场的猛将,由于他身上闪耀出忠肝义胆的伟大品格,被后代封建统治者所推崇,也因为这种品格与劳动人民维护自己权益的意愿相拍合,而成为中华民族海内外儿女一致崇敬的大英雄。可以说,关羽身上表现出的对主之忠、克己之正、处世之义、作战之勇,已成为我国传统优秀文化的一笔宝贵精神财富,在形成中华民族精神和鼓励后人注重品行、舍利取信、舍生取义等社会公德方面显示了巨大的感召力和凝聚力。

六、海难脱灾奉妈祖

妈祖的真名为林默,小名默娘。福建莆田人。诞生于宋建隆元年(960年)农历三月二十三日。宋太宗雍熙四年(987年)九月初九逝世。妈祖,又称天妃、天后、天上圣母、娘妈,是历代船工、海员、旅客、商人和渔民共同信奉的神祇。古代在海上航行经常受到风浪的袭击而船沉人亡,船员的安全成航海者的主要问题,他们把希望寄托于神灵的保佑。在船舶启航前要先祭妈祖,祈求保佑顺风和安全,在船舶上还立妈祖神位供奉。

相传默娘出生时邻里乡亲看见流星化为一道红光从西北天空射来,照得岛屿皆红。默娘少年时聪颖异常,过目成诵。长大后,矢志不嫁,决心终生以行善济人为事。她精研医理,为人治病,教人防疫消灾。洞晓天文气象,能预测天气变化,事前告知船户可否出航。还熟习水性,在海域里遇难的渔舟、商船,常得到她的救助,因而人们传说她能"乘席渡海",称她为"神女""龙女"。宋太宗雍熙四年九月初九,年仅28岁的林默娘辞世升天成神。此后经常显灵,乡亲们时常能看到她在山岩水洞之旁,或盘坐于彩云雾霭之间,或朱衣飞翔海上。救人急难,护国佑民。于是乡里之人就在湄洲建起祠庙,虔诚敬奉,前来朝拜者,络绎不绝。从宋高宗绍兴二十六年(1156年)起至清朝,历代皇帝先后36次册封,封号由2

字累至 64 字。爵位由"夫人"而至"天妃",庙宇遍海内。清康熙二十三年(1684 年)封为"天后",并列入国家祀典,进行春秋祭祀。因其是救苦救难的慈祥女神,故俗称"妈祖""娘妈"。信仰从产生至今,经历了 1000 多年,作为民间信仰,它延续之久,传播之广,影响之深,都是其他民间崇拜神所罕见的。历代皇帝的崇拜和褒封,使妈祖由民间神提升为官方的航海保护神,神威远播海内外,成为一尊跨越国界的国际性神祇。据《世界妈祖庙大全》提供的最新数字,目前,全世界已有妈祖庙近 5000 座,分布在中国、日本、韩国、越南、泰国、新加坡等近 20 个国家。全世界妈祖信众约有 2 亿人,单台湾省就有 70% 的人信奉妈祖。

全国最著名的妈祖庙有以下几座。

福建湄洲岛妈祖庙:湄洲是妈祖文化的发祥地。据文献记载,宋雍熙四年(987 年),妈祖升天后,人们怀念她、纪念她,就在湄洲岛建庙祭祀,是最早的妈祖庙。

泉州天后宫:始建于宋庆元二年(1196 年),许多海外同胞都称其为"温陵圣庙",每年大约有 3000 多个海外团队前来参观朝圣。天后宫是中国首个被列为全国重点文物保护单位的妈祖庙。

芷江天后宫:位于湖南芷江侗族自治县境内,建于清朝乾隆十三年(1748 年),是中国内陆地区最大的妈祖庙。

澎湖天后宫:相传始建于明万历二十年(1592 年),是台湾地区最早的妈祖庙。

相传农历三月二十三和九月初九,分别是妈祖的诞生日和忌日,人们称之为"妈祖节",每到这两日,各地信众都要到妈祖庙举行大规模的祭祀。

七、治世安民信真主

我国信奉伊斯兰教的回族、维吾尔族、哈萨克族等民族有敬拜真主的民间信仰。伊斯兰信众认为宇宙万物只有真主安拉才是唯一的主宰。穆罕默德是他的使者。其信仰主要表现为"六信""五功"。

"六信"即六个主要的信仰。

一是信安拉。认为安拉是独一无二的至上神,安拉创造万物、主宰一切,而且无所不能、无所不知、无所不有。安拉无形象、无方所。

二是信使者。信穆罕默德是主的使者。治世安民,普慈众生。

三是信经典。《古兰经》是安拉启示众生的经典。

四是信天使。天使是安拉的差役,无形无影,神通广大,变幻莫测。

五是信前定。认为世间的一切都是安拉早已安排好的,应顺其自然,不为所争。

六是信后世。认为世界终将毁灭,毁灭之后"后世天国"就来临,死去的人到时候会复活,接受审判,善者升天堂,恶者入火狱。

"五功"即六大信仰主要体现在五个方面的活动中。

一是念功。在举行宗教典礼或平日,要口诵清真之言:"除安拉之外,别无神灵,穆罕默德是他的使者。"以此来公开表白自己的信仰,坚定认主从圣的信念。

二是拜功。即对真主进行礼拜。礼拜时,拜者的衣服、身体、场所都必须清洁,朝圣地麦加方向进行礼拜。礼拜有个人和集体两种形式。个人之拜一天五次,分为晨礼(日出前)、晌礼(中午)、晡礼(日落前)、昏礼(日落后)、宵礼(中夜时);集体礼拜每周五举行,七天一次,由伊玛目(首领)率领在教堂举行。

三是斋功。每年回历九月为斋月。斋月内,每天在天亮前饮食,日出至日落禁止一切饮食和房事。

四是朝功。按伊斯兰教规定,每个穆斯林凡是身体健康、财力允许者一生中都要去圣地麦加朝觐一次。集体朝拜的时间是在回历每年的十二月初八至十二日。个人也可以随时去单独朝拜。

五是课功。每个信仰伊斯兰教的穆斯林,每年都要自愿捐助钱财或纳税,用以资助穷人或公益事业。

伊斯兰信众禁忌食猪肉与一切自行死亡的动物之肉,只吃由阿訇宰杀的牛羊肉。犯禁要受到鄙视和谴责。因为它是作为宗教戒律写入《古兰经》中的,所以成为一切信奉伊斯兰教的人坚定不移的民间信仰风俗。

万事万物万般忌

　　禁忌是信仰民俗的组成部分。任何一种信仰习俗,实际上都包含两个方面,即应该做什么和不准做什么,不准做的就是禁忌。没有禁忌就没有牢固的信仰。对神灵的信仰,从正面而言,是必须崇拜和顺从,崇拜顺从则会得到护佑和幸福。从反面而言,即是不得无视和背逆,否则将会带来灾难。禁忌是心理层面的否定性的行为规范,是出于对神灵的恐惧而产生的自我约束或被监督约束的信仰形式。违犯禁忌的灾难后果,不是已经发生了的,而是想象中的不可避免的惩罚。因而更有恐惧感,更有威慑力。多神崇拜的信仰习俗,使得禁忌充满了生活的方方面面。一个人从出生到死亡,衣食住行、婚丧嫁娶、言谈举止,几乎时时处处都有禁忌。古人对禁忌非常重视。《礼记·曲礼》记载周代风俗:"入境而问禁,入国而问俗,入门而问讳。"甚至还出现了专门掌管禁忌的官员。《周礼·地官》记载:"诵训"一职,"掌道方慝,以昭辟忌,以知地俗"。诵训就是专门掌管全国各地所恶讳的言语和四面八方风土人情的官员,充当周王的顾问。可见禁忌是何等的重要,已经成为人们日常生活中必须遵循的准则。禁忌风俗五花八门,不一而足,历代相因不衰。

一、命相不合难成婚

　　婚姻是组成家庭,传宗接代的大事。古往今来最受人们的重视,因此禁忌颇多。但其中最重要的是合婚禁忌,它直接关系到男女双方的婚姻能成与否。合婚禁忌主要是看男女双方生肖、五行是否相克,生辰八字是否相合三个方面,相克、不合则犯禁忌,不能成婚。

什么是生肖相克与五行相克呢?我国早在商代就有了以十二地支(子丑寅卯辰巳午未申酉戌亥)和十天干(甲乙丙丁戊己庚辛壬癸)相结合用以纪日的方法。大约在春秋时期,古人将子、丑、寅、卯、辰、巳、午、未、申、酉、戌、亥十二地支与鼠、牛、虎、兔、龙、蛇、马、羊、猴、鸡、狗、猪十二种动物对应相配,即子鼠、丑牛、寅虎、卯兔、辰龙、巳蛇、午马、未羊、申猴、酉鸡、戌狗、亥猪。战国时期,阴阳五行学说兴起,方士们又将十二地支分属于五行,即寅卯属木,巳午属火,申酉属金,亥子属水,辰未戌丑属土,并用五行相生相克以推算祸福灾异。五行相生:金生水,水生木,木生火,火生土,土生金。五行相克:金克木,木克土,土克水,水克火,火克金。五行有生克,与之相应的十二种动物也同样的有了生克。其相生:鸡、猴生鼠、猪,鼠、猪生虎、兔,虎、兔生蛇、马,蛇、马生牛、龙、羊、狗,牛、龙、羊、狗生鸡、猴。其相克:猴、鸡克虎、兔,虎、兔克牛、龙、羊、狗,牛、龙、羊、狗克鼠、猪,鼠、猪克蛇、马,蛇、马克猴、鸡。东汉时期开始使用十二地支纪年,与十二地支相应的十二种动物也就成为年的代号,在此种动物之年出生的人也就有了与之相应的属相,如马年出生的人属马,羊年出生的人属羊等等。时人认为人的属相与所属的动物禀性相同,动物间的相生相克就会造成与属相相关的人与人之间的相生相克。属相相克的男女是不能相配成婚的,俗称"犯相"。

不仅所属动物的本性相克不能成婚,属相的五行相克也不能成婚。猴、鸡属金,虎、兔属木,牛、龙、羊、狗属土,鼠、猪属水,蛇、马属火。五行相克:金克木,木克土,土克水,水克火,火克金。因此与之相应的属相猴、鸡克虎、兔,

虎、兔克牛、龙、羊、狗，牛、龙、羊、狗克鼠、猪，鼠、猪克蛇、
马，蛇、马克猴、鸡。属相相克，五行相克，如龙虎、虎虎、虎
羊、鼠蛇等属相相配都将造成严重后果。民谚说："龙虎相
斗，必定短寿。""两虎不同山，同山血斑斑。""虎配羊，活不
长。"虎性凶残，虎年生的姑娘，很难嫁出去，有时只好或增
或减虚报一岁。

　　什么是生辰八字不合呢？生辰八字是一种利用天干和
地支准确记录出生年、月、日、时的方式。由"年干、年支""月
干、月支""日干、日支""时干、时支"，八个干支所组成，一共
八个字。年、月、日、时的干支组合称为"柱"，形成"年柱""月
柱""日柱""时柱"，故八字又称为"四柱"或"四柱八字"。将
一个人出生的年、月、日、时通过四柱天干地支八个汉字表达
出来，称之为"生辰八字"。如某人是公历 1927 年 3 月 17 日
上午 5 点半出生的，按农历计算，即是丁卯年 2 月 14 日卯时
生。其八字为丁卯（年柱）、癸卯（月柱）、庚戌（日柱）、己卯
（时柱）。将出生日期（以农历计算）经占卜者转化为生辰八
字的过程称为排八字。然后再由占卜者将男女从双方生辰
八字所表述出的属相、大运流年、五行个数、命局等进行综合
分析解读，预测两人以后的婚姻生活是否美满。一般来说，
男女双方的生辰八字皆中和，即表示婚后生活幸福，可婚配；
如果一强一弱很悬殊，弱的一方就会被强的一方克死，即表
示灾祸，不可成婚。男子选妻还特别重视女子八字的"夫星"
和"子星"。夫星、子星明显且无破损，娶之旺夫兴子，否则就
是犯忌讳，不能成婚。

　　以生肖属相、五行生克、生辰八字合婚，无任何科学依据
可言。据有人在 2010 年统计，全世界每小时大约出生 15540
人，每天大约出生 37 万人，每年出生大约 8296 万人。中国每
小时出生大约 2273 人，每天出生大约 5 万多人，每年出生大

约 1990 万人。这些出生在不同国家、不同地区、不同家庭、受到不同教育,有着不同经历的同年同月同日同时辰(2 个小时)生的男男女女,他们的婚姻、家庭、事业、生死祸福会一样吗?婚姻美满与否,是由男女双方的爱好、性格、经济条件、社会地位、家庭状况等各种因素决定的,把它归结于生肖属相、生辰八字,实属荒谬。

二、逆冲凶地不宅居

居所是人类赖以栖息生存的地方,中国古代的先民们,总结万千年居住的经验和教训,把那些不适合居住可能造成某种灾难的信条加以神秘化,形成了种种居住禁忌。其中最重要的是选房址和立门户。

1. 择址忌"逆势"

建造住所首先是勘察,选好建造院落和房屋的地址。勘察主要是察看天势、地势、人势三大要素。势者,外在之形也,即自然环境和社会环境,风水学中称这种勘察的方法为"相法"。古人非常重视相宅,不但人相,还要通过占卜请神相,称为"卜宅"或"卜居"。卜宅就是民间盛行的看阴阳宅中的"相阳宅"。

天之势,南为阳,北为阴。中国地处北半球,阳光是从南部照来,寒风是从北部吹来。房屋坐北朝南,北墙阻挡寒风,南窗采光充足,这种格局叫做"负阴抱阳",顺天势,吉;反之,背负阳光,面向凛冽北风则为"逆"。逆天势,凶,择居址大忌。

地之势,山南为阳,山北为阴;高上为阳,低下为阴;水北为阳,水南为阴。居址以地处山之南,居高面水为顺地之势。顺地势建宅,吉。反之,地势南高北低,南有大山居高压顶,北有大水浸泡则为逆。逆地势建宅,凶。所以人们都是把房院建在山南水北的阳处,而不会建在山北水南的背阴之地。明代《阳宅十书》说:"凡宅左有流水谓之青龙,右有长道谓之白虎,前有污池谓之朱雀,后有丘陵谓之玄武。"即是说选建住宅之地,最理想的是后依丘陵高地,前临池塘,左有流水,右有长道。在古代风水学中这是最贵之地。此外,"前有照,后有靠,左右抱"的地势,即前有流水,后有靠山,左右也有丘山环卫,这也是选宅址的风水宝地。反之则为禁忌之地。而那些草木不生之地,流水冲射之地,多条河流汇集之地是最不宜选为建房地址的凶地。实际上顺天势、顺地势即是顺乎自然。

相人势即是察看要选宅址周边的社会环境。明代《营造门》载:凡宅"不宜居当冲口处,不宜居塔冢、寺庙、祠社、炉冶及故军营战地","不宜居大城门口及狱门",这是明代人从社会环境的角度选建房地基的要领。交通要道的交汇处,大城门口的通行处,监狱牢房的所在处,铜铁矿物的冶炼处,旧军营和古战场的遗址处,这些都是不安静、不安全容易发生动乱的地方。古塔、墓地、祠堂、社坛等处,都是鬼神出没作祟致人病死的地方,当然更不宜建房居住。这些禁忌迎合了民众的普遍心态,在民间建宅院时被广为遵守。《扬州采风录》记载扬州江都县风俗,盖房主要避讳两种地方:一是大路直冲着房子的地方,当地人叫"路箭";二是有河道直冲着房子的地方,当地叫"水箭"。箭能射杀人,在这种地方盖房子,易遇到意外之祸,是不吉利的,所以一定要避开。

2. 门户忌"气冲"

门是居舍的关键所在,是内外空间分隔的标志,是一家人朝夕出入必经之途,如一个人的口喉,不能有丝毫差错。故自古以来"门户"就是一个家庭的代称,因此各地关于门户的禁忌颇多,但总体来说就是忌讳邪气恶煞冲门。无论是院门还是房门，门的朝向忌西忌北。按四方神位，西为白虎恶煞，白虎当门必伤人；南为阳北为阴，门向北，"阴气入宅，多病多灾"。故民间多立门于南、东南及东三方，俗谓"三吉方"，又以东南为最佳，俗称青龙门。山西的居住风俗，院门一般多以向东的为善，向西的称阴门，除非万不得已一般不开西门，否则必须在门口安一屏障，或在胡同口正对的墙壁上镶块石碑，上面刻"泰山石敢当"之类的字样，以避邪风鬼魅的骚扰。

门忌讳正对着别人家的门、窗和山墙，俗谚说："窗户对门门对门，不打官司就死人。"尤以门小者更遭其害，叫做"大口吃小口，家破人散走"。天津旧俗，无论院门还是房门，都忌讳直对邻家的屋脊、房角、正檐兽头及道路来射，主损妻克子，若直冲门中线者伤害更甚。为了避免"气冲"，民间有一简便的方法便是在门边置屏墙一堵，或直或曲。屏墙多是不封闭的，还可以保持"气畅"。

门还忌正冲房檐滴水，俗话说："房檐滴水滴门帮，一年之内死一双；房檐滴水滴门口，不伤大口伤小口。"破解之法就是在门的上方加盖，俗称雨搭，阻挡房檐的滴水落在门上或门口。

明代《营造门》一书记载了院门及房门的诸多禁忌：凡大门门扇及两侧墙壁须大小一般。左大主换妻，右大主孤寡。大门十柱，小门六柱皆要着地则吉。门扇高于墙壁，主多哭泣；门口水坑，家破伶仃；大树当门，主招天瘟；墙头冲门，常被人论；交路夹门，人口不存；众路相冲，家无老翁；门被水射，家散人哑；神社对门，当病时瘟；门下水出，财物不聚；门着水井，家招邪鬼；粪屋对门，痈疖长存；水路冲门，悖逆子孙；仓口向门，家退遭瘟；捣石门居，家出离书。汉族自古以来还有忌踩门槛的风俗。门槛又作门坎。民间认为门槛是户主的脖子,踩门槛会给户主带来灾害。据古文献记载,此俗春秋以前就已经存在。《礼记·曲礼上》记载:"大夫出入君门由阃右,不践阈。"阈就是门槛。门槛实际上就是阻挡恶煞邪气的防线,是不能受到任何损害的。这诸多的禁忌,归根到底,就是要防止恶煞邪气进门,只要把恶煞邪气阻挡在门外,就会家泰人安。

以上关于居住风俗的种种禁忌,有的是民众在长期起居生活中实践经验的总结,如"不宜居当冲口处""不宜居草木不生处""不宜居正当水流处""不宜居山有冲射处"等,这些都是出于自身安全考虑,是合理的。有的在今天看来也是具有科学性的,如认为"忌开北门,阴气入宅,多病多灾"。寒风入室,容易引起感冒和其他病症,有损于身体健康。又如"粪屋对门,痈疖长存",因不讲卫生,皮肤生痈长疮,长期发炎不愈。当然种种禁忌多是具有迷信成分,乃是世代因循的陋俗。今天随着社会的进步,科学的发展,一些陋俗正在不断地被历史所淘汰。

三、言语犯忌惹祸灾

语言是交流思想的工具。古人认为万物都是有灵的,语言不仅能够沟通人际,也能沟通鬼神。人说的任何话,冥冥之中的鬼神都能够听到。鬼神会根据说话的内容,予以护佑,给以支持或进行惩罚。有利的话会带来吉祥的后果,不利的话会带来灾难。认为语言之"名",会招致物质实体之"实",故而说到吉祥如意之"名",即兆示吉祥如意之事;说到凶祸灾害之"名",即兆示凶祸灾害之事,由此而产生了对语言的禁忌。语言禁忌即是对语言魔力的畏惧。自古以来语言禁忌繁多,存在于生活的方方面面。

1. 凶语禁忌

凡是与生病、死亡、破财等凶丧相关的不吉利话都是"凶"语,不能直言明言,要避讳。死亡是人最恐惧的,因此也就最忌讳说"死"字和能导致死的其他语言。为了表达这个意思,要避讳改说成其他的字眼。在周代,天子死称薨,诸侯死称崩,大夫死称卒,士死称不禄,只有平民才直称死。后来平民死也称为卒。在民间多是说"去世""逝世""走了""老了""升天"等等,不下百余种说法。与死字音同或音近的字也犯忌讳。如"四"字就不能说,要想办法避开。在船上忌讳说"翻"字,盖房子忌讳说"倒"字,吃饭时忌讳说"完了""没了",干活时忌讳说"完活了""没活了"。有些年龄的数字也是禁忌。如73、84、100等。孔子死于73岁,孟子死于84岁,人生百年是大限。所以这些年岁数字都必须避讳。有些地方45岁也是禁忌。据《北平风俗类征·语言》引《朔纪》云:"燕人讳言四十五岁,人或问之,不曰'今年四十四岁',则曰'明年四十六岁'。"这是因为四十五与"是死我"谐音。因属相可以标明一个人的年龄,且又指代自我的本命,所以俗间有忌言属相的禁事。旧时,艺人进宫唱戏除了记住当天宫中的忌字外,还要记住皇上、太后、皇妃等人的名讳、属相的忌字,否则,就要受责罚。清朝慈禧太后是属羊的,因而讳忌唱戏时提到羊字。连剧目、台词都要改。像《变羊记》《牧羊圈》《苏武牧羊》等都不能演。《女起解》中"羊入虎口,有去无还"也要改成"鱼儿落网,有去无还"。据《清稗类抄》记载:盐城有一姓何家,其家主人自以为本命肖鼠,不但忌讳别人说"鼠"字,甚至还不许家人养猫,也不许家人扑鼠。久之,鼠大蕃息,日跳梁出入,不畏人。可见此种视属相为本命忌言及其习俗是有着广泛的民间信仰基础的。以上种种语言忌讳,都是因为这些话会和"死"发生联系,怕一语成谶。

发财是人们最追求的事，因此破财的话也被视为恶语。做买卖忌讳说"赔""亏"字，忌讳说得罪神的字。如卖财神不能说"卖"，而要说"送"。买财神也不能说买，要说"请"，否则就是不恭，得不到财神的保佑。如果不想买也绝不能说"不要"，只能说"已经有了"，否则得罪了财神就会破财。四川一带过去忌讳说"舌"字，因为"舌"谐音"折本""折财"的"折"，为此把"猪舌"叫做"猪招财"，"牛舌"叫做"牛招财"。在各地这一类有关财运衰败的语言禁忌很多，其特点是不仅仅停留在对禁忌词语的回避上，而且还要变凶为吉，通过对词语的灵活运用获得一个吉祥的效果。这种避凶求吉的语言禁忌现象，俗称"讨口彩"。

2. 称谓禁忌

中国自周代始产生避讳制度。据《左传·桓公六年》载："周人以讳事神。名，终将讳之。"意思是说，周人用避讳侍奉神灵。名，生时不讳，死了以后就要避讳。古时中国人认为，名字并非一般的语言符号，它与指甲、毛发、牙齿等一样是身体的一部分，它具有某种超人的力量，人们的灵魂就附在人的名字上，如果被人利用巫术加害，就会造成身体的损伤或危及生命。中华民族向有尊祖敬宗的习俗，祖先的名字和长辈的名字都不能直呼不讳，甚至不能把长辈的名字告诉别人。认为直呼祖先的名字是对祖先的不尊，不但会受到社会舆论的谴责，还会招来天谴，降灾于子孙。汉族、鄂伦春族、鄂温克族、哈萨克族、布依族、藏族等许多民族的祖先崇拜习俗中都有这一类禁忌事项。

3. 道德禁忌

中国是礼仪之邦，素以重修养、讲道德、尊重他人为善，以侮辱他人为恶。民谚云：善有善报，恶有恶报，不是不报，时候未到，今世不报来世报。古人最讲究口上积德，忌讳恶语伤人。嘴损的人,不仅会招到当世的报复,更会在死后、来世受到惩罚。民间常说的"不能当矬人说短话"就是这个意思。在盲人面前忌讳说"瞎"。在腿有残疾人面前忌讳说"瘸"。在和尚面前忌讳说"秃""驴",因为民间骂和尚常说"秃驴"。在道士面前忌讳说"牛"或"牛鼻子"。因为道教始祖太上老君的坐骑是牛,说牛就是在骂道士是畜生。一些带有亵渎意味的词语也为禁忌。民间通常认为涉及性器官和性行为的词语是一种亵渎语,一般所谓"有教养的"或者"老实本分的"人都羞于启齿。在不得不说到性器官时,要用"那个""下部""老二"等隐指。说到性行为时,也要用"办事""房事""同床"来代替。

　　语言禁忌是建立在语言神秘感基础上的,是由于人们对语言存在一种魔力信仰所致。由于人类具有趋吉避凶的心理,在同一个社会范畴内,使用同一语言的人对语言符号的理解基本上是一致的,因此从某种角度来看,略有道理的语言禁忌一旦被提出,在宁可信其有不可信其无的心理影响下,很容易流传开来,为大众所接受和遵守。所以某些语言禁忌风俗,流传数千年而不衰,时至今日屡见不鲜。

信仰风俗须疏导

作为传统文化的中国民间信仰风俗,历经原始社会、奴隶社会、封建社会、资本主义社会及社会主义社会数千年的发展历程。时代的痕迹,阶级的烙印,各种文化的交融,使得民间信仰风俗成为一个庞杂的混合体。改革开放以来,随着党的宗教政策的贯彻落实和我国经济社会的不断发展,各地民间信仰活动日益活跃起来。随着社会转型的加快和社会变动的加剧,民间信仰风俗带来了一些新的社会问题。

如何对待民间信仰?某些人过高地评估了民间信仰的积极作用,认为民间信仰是中华传统文化的基石,它蕴含的教人敬畏、感恩、为善、为孝、惩恶,以及与自然、植物、动物和谐相处的总体精神目标和理念,一直发挥着民间传统道德的教化功能。具有整合乡族、融洽乡里、维系社区秩序、参与社会公益与慈善事业、改善社会风气和缓解社会矛盾的作用。每年两岸三地大规模的民间祭祖祀神活动,成为加强世界所有华人尤其是两岸华人联系的一个桥梁和纽带,有利于发展旅游经济等等。

应该承认,民间信仰作为一种宗教形态,确实有着某种道德教化、稳定社会、巩固统治的功能,这也是历代奴隶社会、封建社会统治者为什么大力提倡它的原因。所谓"一庙胜过十万兵"。但从根本上看,它仅是一种麻醉剂而不是消炎药。一旦被麻醉者清醒过来,就会以其人之道还治其人之身。历史上的黄巾起事、白莲教起事、太平天国起事就是从民间宗教发展起来的。现在某些民间信仰,在弘扬传统文化、发展经济的招牌下,已经出现了一些畸形的发展。一些地区滥建庙宇,浪费土地资源。庙宇林立,香烟弥漫。家家供关公,户户请财神,封建迷信流行,一些已被禁止的传统迷信活动死灰复燃。求仙、算命、看相、占卜、看风水等已濒临绝迹的巫术迷信重新还魂,在城乡有些人因过分沉迷而影响正常的生活和生产,更有甚者贻误生命。甚至有的共产党员、国家干部也陷入其中,信神佛,信风水,不信共产主义。畸形的民间信仰不同程度地冲击了国家的主导思想,动摇了对唯物主义、共产主义的信仰。部分富起来的人,不是归功于国家的政策,国家的扶持,而是感恩于佛祖、菩萨、关老爷。特别是一些邪教组织利用部分信众的蒙昧,扩大势力,进行犯罪活动。如众所周知的法轮功、全能神、全范围教会等等,已经造成了极其严重的恶果。可见,对民间信仰功能的认识一定要理性,作为共产党执政的社会主义国家,不能把道德教育、维护稳定、发展经济、国家统一寄希望于庞杂的民间信仰,不要干饮鸩止渴的傻事。当然,这样的认识并不是说要对民间信仰不加区别地进行严禁,那是在干蠢事。民间信仰作为一种文化事象历经沧桑流传到今天,必然有它存在的合理性,能有所复兴,自然有它内在的及外部的原因。堵塞不如疏导,不如绝源。消极的民间信仰事象的存在,归根到底是经济落后、科学文化滞后、生活贫困、社会不公造成的。国家与社会首先应该在根基上下功夫,发展经济,加强民主,普及科学文化教育,使人们从贫穷、疾病、愚昧、不公中解放出来,才能真正做到移风易俗。要理直气壮地宣传主流思想,宣传唯物论,引导人们科学地认识民间信仰,剔除糟粕,光大精华,推陈出新。民间信仰在今后相当长的一个历史时期仍将存在,应随着社会的发展不断地实行自身的扬弃,以适应社会的发展,在构建和谐社会的今天,充分发挥民间信仰的特殊作用,使之成为推动社会进步的正能量。

原典选读

原典选读之一　《三国志·关羽传》

《三国志》是传记体史书。作者陈寿。陈寿为汉寿亭侯关羽立传，评曰："关羽、张飞皆称万人之敌，为世虎臣。羽报效曹公，飞义释严颜，并有国士之风。然羽刚而自矜，飞暴而无恩，以短取败，理数之常也。"《三国志·关羽传》和《三国演义》是民间关羽信仰之本。

关羽字云长，本字长生，河东解人也。亡命奔涿郡。先主于乡里合徒众，而羽与张飞为之御侮。先主为平原相，以羽、飞为别部司马，分统部曲。先主与二人寝则同床，恩若兄弟。而稠人广坐，侍立终日，随先主周旋，不避艰险。先主之袭杀徐州刺史车胄，使羽守下邳城，行太守事，而身还小沛。

建安五年，曹公东征，先主奔袁绍。曹公禽羽以归，拜为偏将军，礼之甚厚。绍遣大将颜良攻东郡太守刘延于白马，曹公使张辽及羽为先锋击之。羽望见良麾盖，策马刺良于万众之中，斩其首还，绍诸将莫能当者，遂解白马围。曹公即表封羽为汉寿亭侯。初，曹公壮羽为人，而察其心神无久留之意，谓张辽曰："卿试以情问之。"既而辽以问羽，羽叹曰："吾极知曹公待我厚，然吾受刘将军厚恩，誓以共死，不可背之。吾终不留，吾要当立效以报曹公乃去。"辽以羽言报曹公，曹公义之。及羽杀颜良，曹公知其必去，重加赏赐。羽尽封其所赐，拜书告辞，而奔先主于袁军。左右欲追之，曹公曰："彼各为其主，勿追也。"

从先主就刘表。表卒，曹公定荆州，先主自樊将南渡江，别遣羽乘船数百艘会江陵。曹公追至当阳长阪,先主斜趣汉津,适与羽船相值,共至夏口。孙权遣兵佐先主拒曹公,曹公引军退归。先主收江南诸郡,乃封拜元勋,以羽为襄阳太守、荡寇将军,驻江北。先主西定益州,拜羽董督荆州事。羽闻马超来降,旧非故人,羽书与诸葛亮,问"超人才可谁比类"?亮知羽护前,乃答之曰:"孟起兼资文武,雄烈过人,一世之杰,黥、彭之徒,当与益德并驱争先,犹未及髯之绝伦逸群也。"羽美须髯,故亮谓之髯。羽省书大悦,以示宾客。

　　羽尝为流矢所中,贯其左臂,后创虽愈,每至阴雨,骨常疼痛,医曰:"矢镞有毒,毒入于骨,当破臂作创,刮骨去毒,然后此患乃除耳。"羽便伸臂令医劈之。时羽适请诸将饮食相对,臂血流离,盈于盘器,而羽割炙引酒,言笑自若。

　　二十四年,先主为汉中王,拜羽为前将军,假节钺。是岁,羽率众攻曹仁于樊。曹公遣于禁助仁。秋,大霖雨,汉水泛溢,禁所督七军皆没。禁降羽,羽又斩将军庞德。梁郏、陆浑群盗或遥受羽印号,为之支党,羽威震华夏。曹公议徙许都以避其锐,司马宣王、蒋济以为关羽得志,孙权必不愿也。可遣人劝权蹑其后,许割江南以封权,则樊围自解。曹公从之。先是,权遣使为子索羽女,羽骂辱其使,不许婚,权大怒。又南郡太守麋芳在江陵,将军士仁屯公安,素皆嫌羽轻己。羽之出军,芳、仁供给军资,不悉相救,羽言"还当治之",芳、仁咸怀惧不安。于是权阴诱芳、仁,芳、仁使人迎权。而曹公遣徐晃救曹仁,羽不能克,引军退还。权已据江陵,尽虏羽士众妻子,羽军遂散。权遣将逆击羽,斩羽及子平于临沮。

　　追谥羽曰壮缪侯。子兴嗣。兴字安国,少有令问,丞相诸葛亮深器异之。弱冠为侍中、中监军,数岁卒。子统嗣,尚公主,官至虎贲中郎将。卒,无子,以兴庶子彝续封。

原典选读之二 《图解阳宅十书》节选

《阳宅十书》是明代万历年间王君荣编著。该书精选了当时最盛行的堪舆学术著述,将其汇总而成,是明代一部专论住宅堪舆的著作。清代编纂的《古今图书集成》将其收入丛书。它既是明代人居住风俗的写照,又是以前历朝居住风俗的小结,对后代的居住风俗亦有较大影响。

人之居处,宜以大地山河为主。其来脉气势,最大关系人祸福,最为切要。若大形不善,总内形得法,终不全吉。故论宅外形第一。

凡宅左有流水谓之青龙,右有长道谓之白虎,前有污池谓之朱雀,后有丘陵谓之玄武,为最贵地。

凡宅东下西高,富贵英豪。前高后下,绝无门户。后高前下,多足牛马。

凡宅不居当冲口处,不居寺庙,不居祠社、窑冶、官衙,不居草木不生,不居故军营战地,不居正当水流处,不居山脊冲处,不居大城门口处,不居对狱门处,不居百川口处。

凡宅东有流水达江海,吉。东有大路贫,北有大路凶,南有大路富贵。

凡宅树木,皆欲向宅吉,背宅凶。

凡宅地形卯酉不足,居之自如。子午不足,居之大凶。子丑不足,居之口舌。南北长,东西狭,吉。东西长,南北狭,初凶后吉。

凡宅居,滋润光泽阳气者吉,干燥无润泽者凶。

凡宅居,前低后高,世出英豪。前高后低,长幼昏迷。左下右昂，长子荣昌。阳宅则吉，阴宅不强。右下左高，阴宅丰豪，阳宅非吉，主必奔逃。两新夹故，死须不住。两故夹新，光显宗亲，新故俱半，陈粟朽贯。

凡宅或水路桥梁，四面交冲者，使子孙怯弱，主不吉利。

凡宅门前不许开新塘，主绝无子，谓之血盆照镜。门稍远可开半月塘。

凡宅门前不许人家屋箭来射，主出子孙忤逆不孝。

普天同庆——岁时节庆风俗

　　各个国家、各个民族、各个地区的人民大众都有自己不同的节日及其不同的节日活动形式。它以浓缩的形式凝聚着人们的生产方式、生活状况、思想文化形态,一路从远古走来。在传承中不间断地延续着、变异着、丰富着、发展着,展现出一幅幅五彩缤纷的历史画卷。人们在节庆的欢乐中,品味人生,展望美好的未来。

岁时节日话源头

何谓岁时？宇宙中时间长河漫无尽头，古人经过亿万年对天象、气象、物象的不断观察，摸索出以 365 日为一个自然周期，称之为岁。岁也称为年。一岁之内的时日名曰岁时。什么是节日？所谓的节，就是人们根据天象（日月星辰的变化）、气象（寒暑冷暖的变化）、物象（植物、动物随寒暑冷暖的变化而发生的变化）及其变化规律，将一岁划分为若干个相互衔接的时间段，如同一根长竹竿上的许多节，借喻而言称之为节，两个时间段的交界日即称为节日。世界各国基本上都是以年为一个自然循环周期。一年分为 365 日、12 个月、春夏秋冬四季等等，这都是不同的节。中国传统节日即是以岁时为基础，根据民族心理而选定的。大体上有四个方面：

其一，根据岁时变化规律选择节日。中国是世界上最早步入文明的古国之一。由于农业发展的需要,中国古人很早就注意观察和掌握天象、气象、物象的征候及其变化规律,安排各类农事活动,由此而产生了排列并计算年、月、日的历法。据古史记载,早在原始社会末期的尧舜时代,就已经有了观察日月星辰以定四时的历法。如《尚书·尧典》即有"以闰月定四时成岁"之说。夏代的历法进一步完善,称为夏小正,人们称之为夏历。春秋时期人们在春分、夏至、秋分和冬至的基础上,增加了立春、立夏、立秋、立冬四个节气,由此而形成了立春、立夏、立秋、立冬八个节日。故后世有"四时八节"之称。秦汉时居住在黄河流域的人们在八个时段的基础上,又细分为二十四个时段:立春、雨水、惊蛰、春分、清明、谷雨、立夏、小满、芒种、夏至、小暑、大暑、立秋、处暑、白露、秋分、寒露、霜降、立冬、小雪、大雪、冬至、小寒、大寒。它更加细致地反映了一年四季气候的变化,这样就形成了二十四个节日。人们又从中选出一些特殊的日子进行庆祝,如立春、清明、冬至等。汉武帝太初元年(前 104 年),由司马迁、邓平和落下闳等制定的《太初历》,正式把二十四节气订于历法。此后一些传统节日陆续固定下来,一直延续至今。

其二,根据月亮的变化选择节日。古人在观察天象中注意到了月亮的变化。朔望日在一个月中及一年之中,都较平日的天象特殊。由此又以月亮的朔望缺圆,定出一些特殊的日子。如以每月的朔日(初一)为上日,又称元日。正月的朔日,称为元旦,成为一年之始的第一个节日。又如望日(十五日)月圆,故将正月十五日、七月十五日、十月十五日称为上中下"三元节"。将八月十五日也定为节日,称为中秋节。其中正月十五日为第一个望日,后来发展成为元宵节。

其三,根据天干地支记日选择节日。在中国古代曾以甲乙丙丁等天干和子丑寅卯等地支排日。因而,又有正月上辛

（上旬的辛日）、三月上巳（上旬的巳日）等节日。

其四，根据民族心理选择节日。中华民族的传统文化、民俗心理重视同一与和谐，在节日日期的确定上，喜欢选择月日同数、月内取中、年内对称的日子为节庆日。月日同数的节日：正月正（元旦，夏历的年，今之春节）、二月二（春龙节）、三月三（上巳节，壮、侗等民族的歌圩节）、五月五（端午节）、六月六（晒霉节）、七月七（女儿节）、九月九（重阳节），共七个；月内取中的节日：正月十五（上元节）、七月十五（中元节）、八月十五（中秋节），共三个；年内对称的节日：春社节（汉代以前只有春社而无秋社，汉代以后始有春秋二社。以立春后第五个戊日为社日，是祭祀土地神的节日。今侗族、苗族等仍然把这一天作为祭祀"社神"的传统节日）与秋社节（始于汉代，在立秋后第五个戊日，是秋季祭祀谷神喜庆丰收的节日）；元宵节与中元节；花朝节（百花节，二月十五日）与中秋节。这三对节日皆相隔半年。实际上这些月日同数、月内取中、年内对称的节日在形成之初并非都是如此，而是在后来的演变中逐渐形成的，它透露出人们刻意追求同一、取中、对称的和谐心理，是一种对美好境界的追求。民俗中的各个节日就分置在这些以一年为一个循环周期的各个不同的节点上，周而复始。

岁时是节日的基础，大自然的"天"，是人间节日的依据。古代的传统节日有数十个，虽然其来源形成各有不同，但万源不离其宗，"天人合一"，"天人同趣"，都是自然的岁时与人文意识相结合的产物。

一、源于农事

中国古代的历法是由于农事的需要而出现的。以历法岁时为依据的节日实际上是源于农事，节日里的各种各类的庆祝活动也多是围绕农事而进行的。如最早设立的立春、春分、立夏、夏至、立秋、秋分、立冬、冬至的"八节",就是预报农事季候的节日。中国古代的农谚云:"二月立春雨水前,拉土送粪整田园。"立春被看作是一年农耕又将开始的节日。立春在中国古代是一个非常隆重的节庆。据《礼记·月令》载:"立春之日,天子亲帅三公、九卿、诸侯、大夫以迎春于东郊。"参加祭祀庆典的人,都要穿青衣、戴青帽、打青旗,因为青色象征大地回春,万物复苏。天子亲临迎春,祈祷一年风调雨顺,表示对农事的重视。其后出现的二十四节气,完全是按着农耕的顺序排列的。民间的《二十四节气歌》更是将气候的变化与农事生产一并记述出来。如"清明忙种麦,谷雨种大田……芒种开了铲……立秋忙打靛,处暑动刀镰。白露忙割地,秋分无生田"等等。

正月初一的元旦,俗称为年,在中华民族诸多的传统节庆中,是最盛大的节日。年也是源于农事。年字在甲骨文与金文中,它的字形像成熟下垂的谷穗,或像一个人将收割的谷物顶在头上。年字最初的含义就是谷物成熟和丰收。因为谷物多是一年一成熟,所以谷物的一个成熟周期就是年。元旦是一个欢庆上一年的丰收,又企盼下一年丰收的节日。

中国古代的许多节日,都是与农业生产息息相关的,它们真切地反映了农耕民族节日的特点。经过几千年发展演变,一些原本直接反映农业生产活动的节日已经逐渐失去了它原本的意义,有的甚至已经转化为"平日",但在某些方面还深深地保存着它原始的遗留。

二、源于宗教

宗教是世界各个民族所具有的普遍性的信仰活动。受科学发展程度的限制,人们认为人的各种活动及其命运都是受天地鬼神支配的。这种宗教信仰必然反映到节日中。汉族及其他民族的许多古老的传统节日,几乎都有浓重的宗教色彩,有的民俗节日就是由宗教节日直接转化而来。据《周礼》一书载,早在周代就已流行崇拜日月天地的迎日、夕月、祭天、祀地的祭祀活动,这些活动后来与四时活动相结合,就形成了最初的春分祭日、夏至祭地、秋分祭月、冬至祭天的节日风俗。

始于东汉的道教,是一个多神崇拜的宗教,每个神都有其诞生日。据《东京梦华录》《梦粱录》载,宋代的东京和杭州城,二月八日"崇仁真君"的诞辰庆典、三月二十八日"东岳天齐仁圣帝"圣诞庆典等,不仅是道教徒的节日,也是全民同庆的节日。佛教在东汉时期传入中国后,又出现了许多佛教的节日。每年的农历四月初八日,是中国佛教徒纪念教主释迦牟尼佛诞辰的一个重要节日,名为佛诞节,又称为浴佛节;七月十五日的盂兰盆节,又称为僧自恣日、佛欢喜日,是佛教徒举行供佛敬僧仪式及超度先亡的节日;十二月初八腊八节,是佛教徒纪念释迦牟尼佛成道日等。纳西族的"祭土地节",藏族的"仙女节",回族的"开斋节""古尔邦节"等都是与宗教信仰相关的节日。人们以节日形式对各类神灵进行祭祀,以祈求消灾赐福,显得更为虔诚,更为隆重,认为会取得更神奇的效果。

三、源于纪念

历史上的各类英雄人物、杰出人物,他们曾经对国家、对民族、对本地区的广大民众作出杰出贡献,为后人所景仰,奉为楷模,甚至神化为各种保护神。此外,历史上发生的一些重要事件,在国家治乱、民族兴亡的发展过程中具有重大意义。对这样杰出的历史人物与重大的历史事件,选择一个有特定意义的日子进行纪念,遂成节日。如农历五月初五日,是战国时期楚国伟大的爱国诗人屈原投江殉国的日子。人们出于对他爱国情怀的敬重,对祸国殃民奸臣的痛恨,特别是对他在诗歌创作上开创性贡献的崇拜,将他投江的日子作为一个节日进行纪念,是为端午节。农历五月十三,相传是三国蜀汉名将关羽的诞辰,故称"关公诞"。关羽生时以忠义仁勇信立世,死被儒道释三家神化,历代加封,成为"三界伏魔大帝""神威远震天尊""忠义神武关圣帝君",各地先后建有多种庙宇。每逢五月十三,都举行"关帝庙会",进行祭祀。锡伯族的"西迁节",是纪念锡伯族在清代乾隆二十九年(1764年)农历四月十八这天,由辽宁沈阳西迁至新疆察布查尔戍边的重大历史事件的节日。

四、源于交往

人际交往是人类社会沟通感情、娱乐身心、增进友谊、互通有无的需要,由此形成了各类集会活动的节日。如蒙古族的那达慕节:那达慕蒙古语意为游戏或娱乐。原指蒙古族传统的"男子三竞技"——摔跤、赛马和射箭。随着时代的发展,逐渐演变成今天的包括多种文化娱乐内容的盛大庆典活动和物资交流活动。苗族的芦笙节:芦笙节是贵州省黔东南苗族人民的传统节日,约在农历九月二十七日举行,为期一周。节日期间,男子穿对襟或右大襟短衣和长裤,头缠青布巾,腰束大带,手持芦笙、唢呐、铜鼓;姑娘们穿着绣有各色花纹、图案的衣裙,头缠青帕,腰束绣花彩带,佩戴银饰。从各个山寨涌向会场,一时间人山人海,笙声如潮。人们伴随着芦笙的乐曲翩翩起舞。芦笙会结束时,苗族男女青年进行"游方"活动,谈情说爱,喜结良缘。壮族的歌圩节:壮民善以山歌来表现生活,抒发自己的思想感情。每年的三月三,人们在离村不远的空地上,用竹子和布匹搭成歌棚,接待外村歌手。对歌以未婚男女青年为主体,老人小孩也都来旁观助兴。小的歌圩有一两千人,大的歌圩达数万人之多。村民们通过唱歌增进友情,青年男女通过唱歌建立爱情。当姑娘看中某个小伙子时,就把绣球抛给他,作定情信物。

节日是综合性的民俗,大多数节日的来源都是多元的,即使开始时是单一的,但在其发展过程中,其目的、内容、活动方式必然是不断丰富完善的,不断地吸纳其他方面的内容,也不断地淘汰不适合需要的内容,呈现出一种综合型或复合型节日的特点,如年(春节)、清明节、中秋节等等。

五、源于法定

有些节日是国家根据政治、经济、文化的需要而规定的。如"万寿节"是封建社会皇帝的诞辰日,取万寿无疆之义。万寿节是全国性的节日。王公百官及全国百姓都要为皇帝祝寿。皇帝登基的日子称为"国庆节"。后来把国家建立的日子也称为"国庆节"。如"双十节",是中华民国政府为纪念公元 1911 年 10 月 10 日发动武昌起义的庆典。也是中华民国的诞生日,又称"国庆日"。现今的植树节、母亲节之类都是政府法令规定的节日。这类节日多是随着朝代的更迭或时代的变化而消亡,缺乏传承性。

节庆风俗情意浓

中国的节日众多,风俗五彩缤纷,但其中心内容都体现出天人合一、崇尚道德、增进和谐、欢乐同庆的共同特点。

一、春节

春节旧历称为年。社会上有一种误解,以为之所以把旧历的年称为春节,是因为过去的年起源于春节。究其原因,是概念不清,关系不明,名实不辨所致。

其一,今之春节不是古之春节,古之春节不是年。古之春节是指立春之日。《后汉书·杨震传》:"又冬无宿雪,春节未雨,百僚焦心。"可知古之春节不是年。清王朝灭亡后,中华民国在1912年1月1日开国时采用欧洲的格利高里历(阳历,俗称公历),以公元纪年,曾试图废除传统的农历(又称阴历),禁止人民庆祝旧的农历年,但因民间的反对而未果。在袁世凯主政期间,将格利高里历的1月1日定为新一年的元旦,即现在的新年。因为立春之节多是在旧历年(正月初一日)的前后不久,故将原来的年改称为春节,俗称阴历年。而原来的立春不再称春节,只称立春。但老百姓并不以公历为意,照旧过旧历年。"春节"一词真正广为流行还是在1949年中华人民共和国建立之后。

其二,古代也并不都是以正月初一日为年。历代由于历法不同,元旦的日期也不相同。夏朝的历法称为夏历。夏历以正月初一为元旦;商代使用殷历,以十二月初一为元旦;周代使用周历,以十一月初一为元旦;秦代使用秦历,以十月初一为元旦;西汉武帝太初元年(前104年)改用司马迁等新创的《太初历》,重新使用夏历,以农历正月初一为元旦。以后历代除个别时期使用殷历、周历外,均使用夏历,以正月初一为元旦。可见古代的春节(立春日)和岁首第一天的元旦即年从来就没有直接的联系。年也不是由春节演变来的,更不是什么"至此(1912年)春节和元旦便成为两个不同的节日"。以前春节和元旦本就是两节日。

其三,岁首之日的元旦也并不是一开始就称为年。《尔雅·释天》:"夏曰岁,商曰祀,周曰年。"可知从周代开始元旦才称为年,成为节庆之名。为什么要选择年作为一年、一月、一日的开始之名呢?《尔雅·释天》的注疏说得对:"年者,禾熟之名,每岁一熟,故以为岁名。"是说年的起源与古人对丰收的庆贺与期盼有关。年字在商代的甲骨文中像成熟下垂的谷穗。在我国黄河流域以北,谷物多是一年一成熟,所以谷物的一个成熟周期就是年。以年为节日之名,说明年这一节日名称的来源,意为庆祝前一年的丰收,祈祷下一年更大的丰收。怎么庆祝和祈祷呢?这是年的实际内涵。史家考证,过年的内容是由原始社会的"蜡祭"发展演变而来。元旦源于原始社会末期神农氏时代的蜡祭。蜡的意思是寻求一切,蜡祭就是祭祀所有的神。据《礼记》中《郊特牲》和《月令》两篇记载,每一年农事完毕,为报答神佑助丰收之恩和祈祷下一年的丰收,便于十二月举行蜡祭。祭祀土地神、四方神、主管五谷的司稿神,以及吃田里老鼠的猫神、吃田里野猪的虎神等一切对农事有功的神。报答神恩之后,人们便互相问候,欢享丰收的果实。可见蜡祭既是对神灵的报恩节、祈丰节,又是人们自己的庆功节、狂欢节和准备新一年生产的春耕节。因为蜡祭都是十二月举行,所以十二月又称为腊月。腊月是送旧月,正月是迎新月,送旧迎新的交汇点就是元旦。

实际上,年这一节日不仅是指新一年的第一天——元旦,还包括前一年最后的一天——除日,俗称大年三十,其夜称为除夕。过年即是由旧的一年过到新的一年。所谓"一夜连双岁,五更分二年"。除夕之夜,元旦之日,举家欢乐,普天同庆,节庆活动达到高潮。

我国古代认为一是万物之始。中国传统文化最重视一。《说文解字》云:"一,惟初太始,道立于一,造分天地,化成万物。"《淮南子》云:"一也者,万物之本也。"元即是一。元旦是新一年的第一个月的第一天,是新一年中的万物之始,所以格外受到重视。为了突出万物之始一的地位,把年之名定位给元旦之日。

年是所有节日中庆祝最隆重、规模最大、气氛最热烈的节日。

除日、除夕的主要节庆活动:

一是祭祖。汉族自古以来就是宗法制大家庭,最重血缘亲情。祖宗是家族之源,是庇护族人的神灵,也是凝聚大家族的旗帜,祭祖是头等大事。

二是要贴春联和各种祝吉条幅。贴春联是由古代的挂桃木符的习俗演变而来。东汉时,人们在过年时常将画有神荼、郁垒神像的桃木板挂在门的两旁。传说二神能捉鬼,用以御鬼避邪。五代以后的千余年间逐渐演变成今日贴在门两旁的春联。春联多是写吉祥祝贺之语,既有传统的驱邪求吉的意思,又增添了节日喜庆气氛。此外还贴有"福""金鸡满架""肥猪满圈""抬头见喜"之类的大小条幅。

三是吃除夕饭,又称团圆饭。大年三十是举家大团圆之日。外出的人,不论是在千里之外,还是在异国他乡,都要在这一天赶回来,全家团聚。在夜幕降临之后,全家人都围坐在一起聚餐。小辈为长辈敬酒祝寿,长辈为晚辈祈福祝吉,体现出浓重的亲情。吃的菜不但要丰盛,更要有吉祥内涵。如必有大碗盛的各种圆子(丸子),必须有鸡,必须有鱼等,寓意大吉(鸡)大利、年年有余(鱼)、全家大团圆。

四是除夕饭之后全家人要给长辈叩头拜年祝寿,长辈要给小辈压岁钱,以镇邪保平安。

五是要祭神。在子时新旧两年相交之际,在院落中陈列供品,上香、烧纸、放鞭炮,迎接从天上归来的各路神灵。因为财神最受欢迎,所以俗称为接财神。之后,全家吃年夜饭,即送旧迎新之饭——饺子。饺子原本称为扁食、角儿,因其是在子时(晚 11 点至 1 点)新旧之交时(12 点)必须吃的应节食品,故称饺子。饺子即交子。

元旦之日主要的节庆活动:

一是要燃放开门大吉鞭炮。在天刚微亮时,即燃放红纸包裹的鞭炮,其爆炸后红色碎纸遍地,称为"开门红",取其大吉大利之义。鞭炮由古代的爆竹演变而来。古代过年在元旦凌晨时,要将竹子放在火中燃烧,发出噼噼啪啪的响声,以驱山妖恶鬼。火药出现后,遂改用纸张包裹,其声更脆更响,更能增加节日的迎新气氛。

二是贺岁。元旦之日,人们很早就走出家门,去亲友尊长家贺岁拜年,互相问候,恭贺新禧发财。拜年是元旦最重要的礼仪,通过拜年,和谐人际关系,以求在新的一年中,互相帮助,共创事业。

二、元宵节

正月十五为元宵节。元者,元月也。正月十五这一天称为上元。宵者,夜也。元宵节即上元之夜的节庆。节日活动主要是在夜晚。

元宵节始于何时?流行较广的说法是始于西汉。传说汉高祖刘邦死后，吕后篡权执政。吕后死后，忠于汉室的大臣周勃、陈平等在正月十五这一天晚上，发动政变，扫除诸吕势力，辅佐刘恒为帝，是为汉文帝。汉文帝为了纪念这一汉室复兴的日子，下令解除这一夜的宵禁，张灯结彩，进行庆祝。并且年年在这一天微服出宫，与民同乐。正月十五张灯庆贺遂成风俗，人们称之为元宵节。可是对于这样一个由皇帝亲自倡行的节日，为什么在南朝梁国人宗懔的风俗专著《荆楚岁时记》中没有任何记载呢？因此有学者认为元宵节当始于隋炀帝。隋朝大业三年（607 年）正月十五上元夜，隋炀帝召集全国各地的舞人乐人在皇城门外演出，灯火辉煌，通宵达旦。隋炀帝《元夕于通衢建灯夜升南楼》诗有"灯树千火照，花焰七枝开"句，即是对其盛况的描写。此后各地争相效仿，遂成风俗。

唐玄宗时，受佛教影响，曾在都城长安举行盛大灯会，"作灯轮高二十丈……燃灯五万盏，簇之如花树"，又命宫女及长安少女少妇数千人，在灯轮下歌舞三日夜。从此，元宵节点花灯、观花灯的欢庆活动在全国盛行起来。

宋代更重视元宵节，赏灯活动更加丰富多彩。在赏灯过程中又增加了猜灯谜的活动。南宋时，首都临安每逢元宵节时，好事者把谜语写在纸条上，贴在五光十色的彩灯上供人猜。灯谜能启迪智慧又饶有兴趣，深受社会各阶层的欢迎。吃元宵的风俗也是始于宋代。当时的元宵多以糖外裹糯米面粉包成，形圆如珠，在水中煮熟而食，时人叫"浮圆子"，亦称"汤圆子""汤团"。因其是元宵节的应节食品，故称之为"元宵"。元宵夜，家家挂彩灯，户户吃元宵，天上月明，人间灯红。家家团团围坐，吃圆圆的元宵，寓示着生活月月圆满，日子火红，家人团圆。

明清时代灯节盛况空前。明太祖曾将放灯时间延至十夜。清代盛行一种规模宏大的鳌山灯,里面用竹木扎成巨龟或者仙山的样子,外面蒙上绸布,再一层层地布满万盏花灯。康熙朝礼部侍郎高士奇写过《灯市竹枝词》,专门提到了鳌山灯,说是"鳌山一盏千金价,止情华堂五夜欢"。康熙有一年过生日,也设了一台鳌山灯,高四丈,长二十丈,灯分五层,每一层都是一个小戏台。远远望去如同一座火焰山。元宵节赏灯吃元宵的风俗千年不衰,一直沿袭至当代,随着时代的发展更加多姿多彩。

三、清明节

清明节是古代墓祭日和寒食节合二为一的节日。清明是二十四节气之一,一般是在农历三月中旬,公历四月五日前后。其时春光明媚,万物萌新,故称之清明。

清明节始于墓祭之礼。中国古代"墓而不坟",就是说只打墓坑,不筑坟丘,因此无从祭扫。后来有墓有坟,祭扫之俗便有了依托。《孟子·离娄下》曾提及一个为人所耻笑的齐国人,常到东郭坟墓乞食祭墓的祭品。可见先秦、秦汉时期扫墓之风气十分盛行。说明战国时期已经有了墓祭的风俗。《后汉书·明帝记》引《汉官仪》云:"古不墓祭,秦始皇起寝于墓侧,汉因而不改。诸陵寝皆以晦、望、二十四气、三伏、社、腊及四时上饭。"皇帝几乎是逢节便祭,一般官吏和普通百姓没那么多时间和金钱,便逐渐定格在二十四节气中的清明之日。届时,官府允许官吏请假祭扫,民间也"田野道路,士女遍满,卑吏佣丐,皆得上父母丘坟"。

寒食节相传是纪念春秋时期贤人介子推的。春秋时晋国公子重耳,因国内政乱流亡国外19年,介子推一直伴随在身边,忠心不二,受尽困苦。后来重耳返回晋国,当了国君,是为晋文公。晋文公遍赏追随他的功臣,但却忘了介子推。

介子推没有前去争功,带着老母隐居绵山之中。后来晋文公得知此事,深悔自己的疏忽,遂数次派人去寻请,但介子推却躲入深山避而不见。晋文公想用放火烧山的办法逼他自己走出来。不料介子推宁肯烧死也不出山,遂葬身火海。晋文公非常难过,下令将介子推的尸体葬于柳树下,改绵山为介山,并将烧山之日定为禁火之日,人们不能做饭,只能寒食,以示纪念,故称为寒食节。其实,据学者考证,早在西周就已经有了禁火寒食之俗。春季风大多火灾,通过禁火寒食提醒人们注意防火,这大概是禁火寒食的根本原因。后来人们将介子推的故事附会在寒食节上,是表达了人们对介子推不居功、不追求名利的崇高品德的敬仰。每逢寒食节,人们头戴柳枝圈,去介子推的墓地扫墓祭祀。寒食节是在清明节的前两天。由于两个节日时间相近,逐渐合而为一。唐代大诗人白居易《寒食野望吟》一诗写道:“乌啼鹊噪昏乔木,清明寒食谁家哭?风吹旷野纸钱飞,古墓累累春草绿。”说明在唐代这两个节日就已经融合在一起了。人们将为介子推扫墓的习俗又加进了为自己祖先扫墓的内容。后来,由为贤人介子推扫墓又演变成为一切对国家、民族有贡献的杰出人物扫墓的习俗。所以直至今日,每逢清明,全国各地都要去烈士陵园,为有功于国家人民的烈士们扫墓祭奠。

清明节的习俗,除了扫墓、寒食以外,还有换新火、戴柳、插柳、踏青等各种活动。

换新火是与寒食连在一起的。由于寒食,火种灭绝,所以清明这一天要重新钻木取火。新火二字含义吉祥。唐代时,皇帝常常用钻出的新火点燃柳枝赐给大臣,大臣将传火的柳枝插在门前,以示炫耀。百姓人家将钻取的新火点燃为炊,象征新火燃烧旺运。

清明之日,历代有以柳枝编成柳圈戴在头上,将柳枝插在门上的风俗。民谚说："清明不戴柳，红颜变皓首。""清明不插柳，死后变黄狗。"戴柳、插柳之俗一直延续至今。清明戴柳之俗，一说是始于晋文公。埋葬介子推的柳树，第二年春枝勃发。晋文公以柳枝编环戴于头上，用以纪念介子推。人们争相仿效，遂成风俗。另一种说法是，柳枝是祛邪致吉的吉祥物。北魏贾思勰《齐民要术》载："正月旦取柳枝著户上，百鬼不入家。"观音菩萨一手托净水瓶，一手拿柳枝，为人间遍洒甘露，祛邪消灾。戴柳、插柳是源于以柳祛邪佑吉的信仰习俗。

踏青即是去郊外春游，它是将扫墓与娱乐融为一体的节日活动。清明之时，春回大地，风和景明，绿草青青，正是春游的好季节。据文献所载，自魏之后，即有清明踏青之风。上自皇帝，下至百姓，不分男女老幼皆至郊外踏青。据宋史记载：杭州清明前后十日，城中士女艳妆饰，金翠琛缛，接踵联肩，翩翩游赏，画船箫鼓，终日不绝。著名画家张择端的风俗画《清明上河图》就极其生动地描绘了宋代清明时节京都人民踏青的热闹情景。踏青时还有吟诗、歌舞、踢球、荡秋千等各种娱乐活动，尽情尽兴。

四、端午节

夏历五月初五日为端午节，又称端午、端阳、重午。关于端午节的起源，民间有多种传说，其中以纪念屈原之说流传最广。《荆楚岁时记》载："五月五日竞渡，俗为屈原投汨罗日，伤其死所，故命舟楫以拯之。"据近代学者闻一多先生考证，早在屈原之前就已经有了端午之俗。它是源于古代以龙为图腾的吴越族举行龙崇拜的节日。还有学者认为，端午节是始于"镇恶月恶日"之俗。早在先秦时期，人们就把五月视为"恶月"，五日更是恶月中的"恶日"。据《史记·孟尝君列传》载:孟尝君田文生于五月五日,他的父亲曾经要把他抛弃,认为五月生的孩子,长大将不利其父母。汉代古籍《风俗通义》载:"俗说五月五日生子,男害父,女害母。"从气候上看,五月进入夏季,各种疾病及蛇、蚊、蝇等有毒有害的各种虫类开始为害。因此,必须要在最恶之月最恶之日的五月五日镇恶,以祛邪、解毒、免灾。前面我们已经作过探讨,节日的特点就是复合的、综合的。从端午节各种活动习俗来看,它就是一个古今各地风俗复合的产物。其节日内容主要有以下几个方面:

一是禳毒逐疫。从汉代以来,人们就有端午禳毒逐疫之俗。历代多是在臂腕上系五彩丝,称为"长命缕",驱鬼避瘟,以保长命百岁;在衣襟上佩麻制的小扫帚,表示立马(麻)将邪毒一扫干净;在门上挂桃木剑,在屋檐下插艾蒿或菖蒲棒,祛邪、驱百病;饮雄黄酒,并用雄黄酒在小孩脑门上写一"王"字,象征老虎驱百害。

二是竞渡龙舟。早在南北朝时,端午节竞赛龙舟就已经流行成俗。是日,人们在江湖中驾龙舟、击飞浪、齐声呐喊,场面极为热烈壮观。传说赛龙舟之举,是表示人能降龙,警示水中巨蛟不许伤害屈原的尸体。

三是餐食粽子。粽子是端午节的应节食品。家家互赠,人人必食。据南梁吴均《续齐谐记》载:屈原投汨罗江死后,人们悼念他,每年在他的忌日都用竹筒盛米投入江中祭奠他。汉代建武年间,有长沙人欧回,说他见到了一个自称是三闾大夫(屈原之官称)的人对他说,每年投入江的米都被蛟龙所夺。今后再送,可用楝叶包裹,缠以五彩线,蛟龙最怕此二物。于是人们每年用楝叶包粽子,缠以五彩线。既投水祭屈原,人们又自食,遂成风俗。这当然是附会之说,但它体现了汉族人民对爱国者屈原的敬仰之情。

五、中秋节

夏历八月十五日为中秋节。因为它是在秋季三个月中间，故称为"中秋节"。据学者考证，中秋节是在古代秋分节和月神崇拜的基础上发展而来的。据《周礼·春官》记载，早在周代就有在中秋之夜击鼓赋诗以迎寒的活动。《礼记》等书也记载，每年秋分节都要举行祭祀月神的"夕月"之礼。至晋代有了关于中秋赏月的记载。至唐代时，中秋赏月成为一种遍及社会各界的风俗。宋朝太宗年间，皇帝正式下诏，以八月十五为中秋节。从此，中秋节与春节、端午节一起成为汉族的三大节日，从古至今，盛庆不衰。

中秋节活动的主要内容：

一是拜月赏月。祭拜月神是汉族多神崇拜由来已久的传统习俗。中秋之夜，圆月中天，清辉如水，触景生情，自然会引起人们对月神的崇拜，对亲人的眷爱，对美好未来的向往，历代在中秋之夜都以各种方式娱神乐己。

据《东京梦华录》《梦粱录》记载，宋代在中秋节的前几天，就弥漫着浓厚的过节气氛，大小酒楼都装饰一新，张灯结彩。中秋夜，"金风荐爽，玉露生凉，丹桂香飘，银蟾光满，王孙公子，富家巨室，莫不登危楼，临轩玩月，或开广榭，玳筵罗列，琴瑟铿锵，酌酒高歌，以卜竟夕之欢。至如铺席之家，亦登小小月台，安排家宴，团子女，以酬佳节。虽陋巷贫窭之人，解衣市酒，勉强迎欢，不肯虚度。此夜天街卖买，直到五鼓，玩月游人，婆娑于市，至晚不绝"。是夜，一轮皓月当空，人们在庭院中摆下供桌，以月饼、瓜果等为供品，由女主人主持祭拜。中国传统文化认为"日为阳，月为阴"，故"俗有男不拜月"之说。实际上是男女都拜，只不过是女人先拜而已，求月神保佑全家平安。中秋饮酒赏月，作诗填词，是宋代文人

雅士不同于市民们的特殊风俗。苏东坡于丙辰中秋夜,欢饮达旦。大醉,挥毫泼墨:

明月几时有?把酒问青天。

不知天上宫阙,今夕是何年……

人有悲欢离合,月有阴晴圆缺,此事古难全。

但愿人长久,千里共婵娟。

一首《水调歌头》留下了中秋夜的千古绝唱。

二是品食月饼。月饼是中秋节的应节食品。古籍记载,每至中秋节,家家互赠月饼,祭月后家人团聚,共同分享。月饼形圆,馅儿甜,意寓天人圆满,生活甜美。据说中秋节赠月饼、食月饼之俗始于唐太宗。某年八月十五日,大将李靖远征突厥凯旋,唐太宗在夜晚举行盛大宴会庆功。在宴会上,唐太宗接过吐蕃商人所进献的胡饼,说"应将胡饼邀明月",之后给大家分食。由此可知,月饼原是少数民族的食品,因是赏月时而食的食品,故称月饼。因为中秋节正是五谷丰收的季节,所以人们在月饼上印有"月圆谷丰""丰收月饼"等字样,唐太宗的中秋庆功宴又逐渐演变为喜庆丰收的中秋节。

民间传说,中秋节吃月饼是始于元朝末年的杀"鞑子"。据说高邮人张士诚在发动反元起义时,将起义时间写在纸条上并藏于月饼中,纸条上写着:"八月十五杀元兵,家家户户齐动手。"中秋夜,人们掰开月饼,见到字条后如约起义。后来为纪念这一壮举,年年中秋分食月饼。这一传说固然极有传奇色彩,但实际上是不确切的,因为前面已经说过唐宋时即有食月饼之俗。如果说这一传说还有点真实性的话,最多是利用中秋节吃月饼的习俗暗传信息、发动起义而已。

我国共有 55 个少数民族,他们在长期与汉族的交往中,民族文化互相融合,汉族的一些主要节日也逐渐成为一些少数民族的共同节日,但还保留一些本民族的旧有风俗。此外,各少数民族也都有一些本民族的传统节日,各有千秋。

六、那达慕节

那达慕节是蒙古族最具民族特点的节日,又称为那达慕大会。那达慕是蒙古语的音译,意为欢庆。它是蒙古族传统的群众性盛会。那达慕始于公元 1225 年。成吉思汗为了庆祝征服花剌子模的胜利,在布哈苏齐海举行了一次盛大的那达慕大会。会上将士们飞马弯弓进行射箭比赛,欢庆胜利,竞显英雄风采,以后历代相因成俗。那达慕没有确切的日期。游牧在大草原上的各个部落,一般是在天高气爽、牧草茂盛、牛肥马壮的七八月间举行。会上进行传统的射箭、赛马、摔跤比赛,胜利者被誉为"那钦",即草原上的雄鹰,予以重奖。随着时代的发展,今日的那达慕大会逐渐成为以传统比赛为中心,兼有文艺演出、商品交流、推广科学技术、举办各种展览、表彰先进模范等的综合性节日。特别是近 30 年来,那达慕大会成了内蒙古各地推动改革开放、繁荣经济的一种重要形式。每逢那达慕,牧民们都穿上节日的盛装,从四面八方赶到会场。在一望无际的绿色草原上,彩旗飘扬,骏马赛奔,力士竞技,人头攒动,鼓声如雷。文艺演出,歌入云霄。商品百货,琳琅满目。久别重逢的牧民朋友,喝着芬芳的美酒,吃着手把肉,拉起悠扬的马头琴,载歌载舞,在茫茫的草原上,出现一片欢乐的海洋。

七、藏历新年

藏历新年是各地藏族民众普遍欢度的传统节日,藏族各地的年不尽一致。拉萨地区以正月初一为新年,楚河地区以藏历十二月初一日为新年,昌都地区以十一月初一为新年。各地欢庆新年的形式也有不同。在拉萨地区,人们在十二月中旬即准备过年。

正月初一祭佛是新年的头等大事,家家把插满青稞苗的木盒、麦穗及各类油炸食品摆在佛龛前,预示农业丰收和吉祥富裕。取吉祥水是新年中不能缺少的,新年早晨天未亮时,妇女们即要到河边背吉祥水,全家用它洗漱和饮用。老年人也要去背水,用来饮牲口,寓示一年中人畜平安。之后,全家换上新衣,老少按辈分入座,由长辈拿来"切玛",即用酥油和糖做的吉祥饭,每人抓食一点。长辈祝晚辈吉祥如意,晚辈祝长辈身体健康。

初二,亲友走访祝贺。客人一进门,向主人道一声"扎西德勒"(吉祥如意),主人迎上前去回敬"扎西德勒"。主人端来"切玛",招待客人。客人要先按规矩祈敬神灵。之后主人请客人喝酒,为了尊重主人,客人必须要三口喝尽一杯。走访活动一般要持续三五天。这期间,藏民们要身着各式民族服装,或在广场或在草地上载歌载舞,或举行赛马、角力、拔河等竞技比赛,一起欢度新年。

八、肉孜节与古尔邦节

肉孜节与古尔邦节是信奉伊斯兰教的回族、维吾尔族、哈萨克族等民族的节日。他们的许多民俗节日都是与宗教节日合而为一的。

肉孜节也叫开斋节,时间是在回历十月一日。成年穆斯林每年都要守斋一个月。按照回历,九月是斋月,九月一日至十月一日之间,人们只能在日出前和日落后进食,白天禁止饮食,并禁止房事。封斋期满之日,即十月一日开始恢复正常,故称为"开斋节"。这一天穆斯林们要沐浴净身,穿上节日服装,去清真寺做礼拜,之后向阿訇道安。然后互致"色俩目",即祝安康。礼拜后,由阿訇带领游祖坟,为逝者祈祷。

之后，互相登门拜访，互赠食品。节日期间，男女老少都出来游观，节日一般要进行三天。

肉孜节后的 70 天左右为古尔邦节，一般是回历十二月十日至十三日，意译为"宰牲节"。这几天是伊斯兰教徒在圣地麦加朝圣的高潮，各地的穆斯林也举行祭祀真主的活动。

古尔邦节的来源与宗教传说有关。据说先知易卜拉欣梦见真主安拉的启示，命他杀死爱子作为献祭的牺牲。实际上，这是真主在考验他的真诚。易卜拉欣毅然接受真主的旨意。正在他动手杀子的一瞬间，真主的使者牵来一只羊顶替。从此，阿拉伯人便以此日（十二月十日）为宰牲祭献的节日。伊斯兰教传入中国以后，维吾尔族等一些信奉伊斯兰教的民族接受了这个节日，成为习俗。

节日之前，家家要扫除房屋，制作精美的糕点。节日这一天清晨要沐浴，穿上节日盛装，庄严地去清真寺。由阿訇率领举行礼拜，向麦加方向礼拜，阿訇讲解《古兰经》真义，之后人们互拜，道"色俩目"。然后举行宰牲仪式，将肉分给亲友和送给穷人。礼后，亲友互访，互致"色俩目"，主人设宴，招待客人。

九、火把节

火把节是彝族的传统节日，几乎所有彝族人都过这个节日。但各个地区过节的内容与形式不尽一致。在大、小凉山地区，火把节是在六月二十四日或二十五日，贵州地区的火把节是在六月初六。火把节当晚吃完晚饭后，家家在门口点起一个火把，全村寨则在广场上点起一个更高、更大、更粗的火把。集会时，各家将自己的火把放在大火把周围，人们围着火把载歌载舞、饮酒、赛马，并用松脂散火为戏。凉山地区的彝民们，在火把节那一天，外出的家人都要赶回来吃团圆饭。饭前杀鸡祭祖,饭后举行点火把仪式,由家长点火,举火把照亮家中的每一个角落,边照边祈告,要烧跑一切恶鬼保一家平安、五谷丰登、六畜兴旺。并以村为单位手持火把集会,之后在田间绕行,将火把插在田埂上。游巡田间之后,人们围着篝火,弹月琴、吹口琴,边喝酒边唱歌,通宵达旦。

彝族火把节的来源,有种种传说,其中流传最广的是纪念大力士阿提拉八。据说古代天上有个大力士叫斯热阿比,地上有个大力士叫阿提拉八。天上大力士因比赛败于地上的大力士而怀恨在心,向天神诬告人间的百姓目无天神,触犯天条。天神大怒,散放出许多害虫铺天盖地祸害民众,事情发生在六月二十四日这一天。地上大力士立刻率领民众,人人手握火把烧虫,最后消灭了害虫,保护了人间的庄稼,获得丰收。为了纪念救星阿提拉八,遂把每年的这一天作为"火把节"。实际上火把节的真正源头是彝族的先民们在上古时代的火崇拜。他们把火看成是光明之神、生命之神、族群的保护之神。

十、三月三歌会

居住在广西、云南等地的壮族是一个能歌善舞的民族。每年的三月初三是壮族人民的传统歌节,亦称三月歌圩。壮族人称歌圩为"窝坡",原意是到野外、峒外去唱歌。《太平寰宇记》有壮族"男女盛服,聚会唱歌"的记载,可知最晚在宋代时就已经有了聚会唱歌的习俗。壮族人认为,唱歌可以防病治病,延年益寿;可以娱乐百神,消除灾难,带来幸福。传说歌节的起源是为了纪念歌仙刘三妹(电影改称刘三姐)。相传刘三妹生于唐代,自幼聪明过人,能出口成词,专为穷人唱歌,与老财作对。有一财主垂涎她的美貌,喜爱她的歌声,强迫纳她为妾。刘三妹誓死不从,在三月初三那一天驾舟逃走,不知所踪。有人说看见她骑鲤鱼升天,成了仙女。后来人们每年都在三月三这一天走出家门,在峒外举行歌会纪念她,把这一天称为歌仙节。壮族的聚居区广西素有"歌海"之称。实际上壮族每年有数次定期的民歌集会,即正月十五、三月初三、四月初八、五月十二、八月十五等,其中以农历三月初三最为盛大。这一天,家家户户制作五色糯饭、染彩蛋,欢度节日,有的持续二三天。各地歌节有特定的聚会场地,一般为峒场坡地。有的以竹子和布匹搭成歌棚,接待外村歌手。参加者以未婚男女青年为主体,老人小孩亦来游乐助兴。在歌圩场四周,摊贩云集,民间贸易活跃。较大的歌圩,方圆几十里成千上万的男女老少都前来参加,人山人海,歌声此起彼伏。柳州的鱼峰山、田东的仰岩、巴马的盘阳河畔、都安的棉山、田阳的乔业、宜山的下涧等处都是著名的歌圩。人们到歌圩场上赛歌、赏歌,男女青年传情对歌,情投意合者便互赠信物,以为定情。此外,还有抛绣球、碰彩蛋、演壮戏等娱乐活动。歌节不仅是民族文化的盛会,也是民族经济交流的盛会。为弘扬民族文化,1984年广西壮族自治区人民政府组织了"三月三"歌节活动,全广西各地歌手云集南宁,全国各兄弟民族和港澳同胞、外国友人也前来观光,盛况空前。1985年,广西壮族自治区人民政府把"三月三"定为文化艺术节。

易风俗推陈出新

中国传统节日风俗,是中华民族在不同历史发展阶段中社会生活的典礼和仪式,它保留了民族文化中最精致、最具代表性的内蕴,传承着中华民族的价值观,展示着中华民族的精神世界。中国传统节日经过几千年的沧桑一路走来,今天又面临着新时代风雨的洗礼。当今的中国和世界,正在发生数千年来前所未有的巨变。中国传统节日必须与时俱进,推陈出新,才能获取新的生命力。那么怎样才能使这株老树绽放新花再放异彩呢?

一、剔除糟粕,扬弃陋俗

节日风俗作为一种传统文化形态,必然带有时代的烙印,精华与糟粕并存。要把各种节日风俗都拿到理性的审判台上来,逐一地加以研究鉴别,只有剔除糟粕,扬弃陋俗,才能使传统节日伴随时代的潮流健康发展。在中国传统节日中,尊祖敬宗,追悼先人的情结本是良风,但烧纸化币则是陋俗。不难看到,每到春节、清明、七月十五,城里街巷、农村坟头,烧衣、烧冥器,处处火光点点,烟尘滚滚。不仅严重污染了城乡环境和空气,更引发了无数造成严重损失的火灾。同时它所宣传的封建迷信思想,也影响了青少年一代的健康成长。各个城市春节期间鸣放鞭炮早已经失去了"爆竹声中一岁除"的韵味。响鞭如机枪,雷炮如炸弹,硝烟弥漫如战争,灾害如战火。据央视新闻频道 2012 年 2 月 9 日晚上播出的《东方时空》报道:年三十至初六全国发生火灾 1.1 万多起,因火灾死伤77人（40死37伤），直接经济损失超5600多万。
年节送礼是因袭已久的陋俗。历朝历代的贪官污吏都把年
节视为收礼敛财、贪赃受贿的大好时机。而今许多地区年节
送礼之风也是愈演愈烈。节日陋俗，林林总总，不一而足。
有的是千年流毒，有的是新生肿瘤，不能任其在"传统风俗"
"传统文化"的幌子下泛滥成灾。扬弃陋俗，当务之急。

二、弘扬精华，塑造新风

中国传统节日是中华传统文化的重要载体，它是随着时
代的变化而不断发展的。我们必须根据时代的需要深入挖
掘与升华传统节日的文化内涵，弘扬精华；大胆创新并自觉
为传统节日注入新质，突显特色。对传统节日进行改造，赋
予它新的内容和形式，使之获得新的生命力。

1. 弘扬民族精神，突显以爱国主义为核心的节日新风俗
中华民族精神就是以爱国主义为核心的团结统一、爱好
和平、勤劳勇敢、自强不息的精神。而我们的民族精神源自
于全民族的文化共识，源自于民族文化的优良传统。中国传
统节日文化的突出特点即是天人合一、崇尚和谐、尊祖重亲、
热恋故土。中国人每逢过年（春节），都会不远万里，不辞辛
苦，从五湖四海、世界各地回到家乡。礼拜天地，祭祀祖宗，
亲人团聚，至爱亲朋。这种对家乡皇天后土的尊崇，对祖宗
的追思，对亲人邻里的眷爱是中华民族千百年来形成的文化
共识，是民族性、民族精神的体现。对春节所蕴含的这种浓
烈的尊天敬祖情结，爱亲人、爱乡土情结，应该在内容上深入
发掘，仪式上完备充实，大力弘扬。由对家乡皇天后土的爱，
转化为对国家社稷的爱；由对父母兄弟亲人的爱，发展到对
中国人民的爱；由对宗族列祖列宗的爱，发展到对中华民族
共祖炎黄的爱。普天同庆过大年（春节），是炎黄子孙的一种

割不断的民族认同感,是拆不散的民族凝聚力,是爱国主义的基础。

端午节最初曾经是人们驱邪避疫祈求平安的节日。后来经过演化,人们通过举办龙舟赛、吃粽子,把它与纪念伟大的爱国诗人屈原联系起来,在老百姓中的影响极为深刻。对此在承袭端午喝雄黄酒,系彩线风俗的同时,要突出弘扬屈原的爱国主义精神和忧国忧民的情怀,使之在端午节的各项民俗活动中得到充分彰显。把端午节打造成战胜邪恶、关怀民众的爱国节。

与寒食节合一的清明节,其寒食、扫墓等风俗,据传是为了纪念春秋时代的爱国忠臣介子推。介子推佐晋文公重耳夺取政权,拯救国家,艰辛备至,功勋卓著。但大功告成之后,放弃功名利禄,避隐深山而死。古代君国合一,忠君即是爱国。介子推忠君救国、不为名利的行为,是当时爱国主义精神的体现,是应该大力弘扬的。后来人们在纪念介子推的扫墓风俗中又增添了为亲人扫墓的内容。当代社会在清明节为先烈扫墓,"挥泪继承壮士志,誓将遗愿化宏图",已经成为清明节的新风俗。为了弘扬中华民族爱国主义的优良传统,弘扬历代先贤先烈为国奉献,不计个人得失的高风亮节,是否可以把清明节又称之为"先烈节"?让那些为国家、为民族作出极大贡献的历代先烈们,名垂千古,永受祭享。

中国传统节日所内蕴的爱国主义情结,就像是一剂强力的黏合剂凝聚着中华民族,它使每一个沐浴在传统节日风俗中的中国人,自然想到自己是炎黄子孙,而深深地眷恋祖国。这种人间真情的传承,正是中华传统节日的强大魅力所在。

2.弘扬传统美德,突显以和谐价值观为特点的节日新风俗

崇尚和谐,倡行道德,是中华民族的传统。传统节日风

俗中无不渗透着中华传统美德的因素。和、仁、义、礼、忠、孝、智、信等中华传统美德在传统节日风俗中时有体现。"和"是中华传统道德价值的最高原则,也是各种道德的终极目标。《中庸》说:"中也者,天下之大本也;和也者,天下之达道者也。致中和,天地位焉,万物育焉。"各种传统节日风俗中,几乎都有祭祀天地祖宗、山川神灵之礼,有的还是专一宗教性质的节日。通过祭祀达到人与天地神灵的和谐,人与自然的和谐,使之达到风调雨顺,五谷丰登,国泰民安,家兴人旺。

春节期间,家人团聚,晚辈给长辈叩头拜年,长辈给晚辈压岁钱,亲友之间相互拜年等传统风俗,和谐家庭,和谐乡里,体现了仁孝忠义,尊老爱幼的美德。同样清明节扫墓,端午节纪念屈原,中秋节家人团聚,重阳节登高敬老等风俗,都从不同侧面体现和、仁、义、礼、忠、孝、智、信等传统道德。对这些传统节日所体现的传统道德精神,要进行新的诠释,补充新的内容,使之体现新的时代风貌。同时根据时代的需要,要把一些后建立的节日纳入到传统节日中来,形成新的节日道德风俗。如三八妇女节,强化爱护妇女、尊重妇女的道德;父亲节、母亲节、教师节,强化孝敬父母、尊重师长的道德;植树节,强化保护自然环境的新道德等等。

三、博采广纳,推陈出新

近些年来,随着改革开放的发展,中西文化交流的不断扩大,西方的圣诞节、平安夜、情人节、愚人节等洋节在中国风行日盛,受到相当多的国人特别是年轻人的追捧,中国传统节日正受到前所未有的冲击。对此引起了一部分国人的惊恐,大有"狼来了"之势。其实大可不必。与其恐之,莫如因势利导,取其长而用之。

　　对洋节风行之势要进行科学的、实事求是的分析,不能简单地把圣诞节、情人节等洋节的盛行认同于"国人接受了该文化的核心价值观"。调查表明,很多年轻人过洋节只是为了赶时髦,并不了解洋节本身的内涵。他们对洋节的追崇,更多的是愿意接受其互致祝福、放松心情这种休闲化、娱乐化的形式。

　　节日作为一种上层建筑的文化形态,其影响力的大小,是由经济基础的强弱决定的。自古以来强大经济体所产生的文化形态都会对周边的众多民族、国家产生重大影响。历史上中国的汉唐文化对周边各国的影响,近代以来欧美对世界各地的影响是人所共知的。无可否认,当今世界欧美仍然是最强大的经济体,它的文化包括节日文化对世界各地产生影响完全是正常的现象。同时也应该看到,随着中国经济的迅速发展,综合国力的日益强大,中国文化包括节日文化,也正在走向世界,中国的春节日益受到世界各国人民的喜爱就是有力的证明。近几年来每逢春节,世界各国元首政要都纷纷向华侨华人祝贺新春。2012年春节,美国总统奥巴马和国务卿希拉里·克林顿分别发表声明,向全球所有庆祝农历新年的人们表达新春祝福。奥巴马说,美国和全世界欢度农历新年的人们会用各种传统方式迎接兔年,怀念祖先,同亲朋好友共度美好时光。祝愿所有欢度农历新年的人们在新的一年平安幸福,事业兴旺,身体健康。英国在中国春节期间,处处洋溢着欢庆春节的气氛。大年初一,伦敦30万人(其中绝大部分不是华人)在伦敦特拉法加广场齐声高呼"恭喜发财"。舞龙舞狮、爆竹烟花等欢庆活动令人目不暇接,持续一整天的庆祝活动盛况空前。有些英国人干脆穿上了中国的唐装,伦敦俨然成了一座中国城。近几年来随着中法两国经济文化交流的日益增多,春节已经悄然走进了很多法国人的家庭,春节习俗已经成为他们日常生活中的一部分。每到春节前夕,一些大街小巷都装饰一新,彩旗飞扬,不仅华人聚居区,就连巴黎市政广场也会挂上大红灯笼,满眼都是喜气洋洋的大红色。中国的春节正在逐渐成为一个世界性的节日,越来越多的外国人热衷于过中国春节。中国综合国力跃居世界前头之日,就是中国节日风行世界之时。

世界的文化是多元的,每一种文化都有其特有的长处,都对人类文明作出过贡献,都值得学习。必须看到,洋节之所以风行,除了前面说到的根本原因外,还在于它自身所具有的两个突出特点:

一是主题鲜明,内容单一。如圣诞节、平安夜、情人节、愚人节、父亲节、母亲节等。简单明了,很容易激发人们的特定情感、种种情趣和翩翩联想,具有较强的普适性和公众性。

二是形式新颖,感情奔放,具有吸引力。如圣诞节的圣诞树,在千里冰封万里雪飘的严冬,室内装饰着一棵棵翠绿的常青树,上面点燃着一支支小蜡烛,悬挂着各类礼品糖果和各种各样的小球。烛光闪闪,五彩缤纷,如同梦幻中的童话世界。特别是那个胖胖的、面目慈祥、性情快乐、身穿白边红袍、头戴滑稽小红帽、长着满脸白胡子的圣诞老人,尤其招人喜爱,总是在圣诞前夜乘着驯鹿拉的雪橇到来,送给孩子们各种礼物和美好的祝愿……从节日环境的布置,到节日人物的形象、节日的欢快内容,无论是对成年人还是对孩子都会带来无穷的乐趣和美好的愿景。其他如情人节鲜花烛光的浪漫,如火如荼的热恋;愚人节骗人、被骗的乐趣等等都极具吸引力。以城市生活为基础的西方节日与反映农事的中国传统节日相比,更注重社会性与人文关怀,它以娱乐、狂欢为特点,有较强的娱乐性,很适于人们的情感表达与宣泄。正是有了这些能使中国人情感上产生共鸣的东西,洋节才逐渐为中国人所接受,进而形成一种流行文化潮。凡是存在的事物就必然有其合理的因素。我们应该敞开博大胸怀,以海纳百川、包容并蓄的态度对待各种外来文化,去其糟粕,存其精华。要敢于在相互交流中和平竞争,虚心学习,洋为中用,推陈出新,创造出属于我们民族文化与时代文化相结合的新的节日文化。

原典选读

《荆楚岁时记》节选

《荆楚岁时记》为南朝梁国宗懔所著。它是中国现今年代最早、影响最大、保存最为完整的一部民俗学著作。通过《荆楚岁时记》我们可以追寻许多节日的发展演变轨迹。其所记载的节日中,有些流传至今日。以下节选其元日(元旦)、寒食、清明(后来寒食与清明合一)、端午四个节日的记载。

正月一日,是三元之日也,谓之端月。

按《史记》云:"正月为端月。"《春秋传》曰:"履端于始。"元,始也。

鸡鸣而起。

按《周易纬通卦验》云:"鸡,阳鸟也,以为人候,四时使人得以翘首结带正衣裳也。"注云:《礼·内则》云:"子事父母,妇事舅姑,鸡初鸣,咸盥漱栉縰笄。"则惟其常,非独此日。但元正之朝,存亡庆吊,官有朝贺,私有祭享,虔恭宜早复位于余辰,所以标而异也。

先于庭前爆竹,以辟山臊恶鬼。

按《神异经》云:"西方山中有人焉,其长尺余,一足,性不畏人,犯之则令人寒热,名曰山臊。人以竹著火中,烞熚有声,而山臊惊惮远去。"《玄黄经》所谓山獡鬼也。俗人以为爆竹燃草起于庭燎,家国不应滥于王者。

帖画鸡，或斲镂五采及土鸡于户上。造桃板著户，谓之仙木。绘二神贴户左右，左神荼，右郁垒，俗谓之门神。

按庄周云："有挂鸡于户，悬苇索于其上，插桃符于旁，百鬼畏之。"又魏时，人问议郎董勋云："今正、腊旦，门前作烟火、桃神，绞索松柏，杀鸡著门户，逐疫，礼欤？"勋答曰："礼。十二月索室逐疫，衅门户，磔鸡。汉火行，故作火助行气。桃，鬼所恶，画作人首，可以有所收缚，不死之祥。"又桃者五行之精，能制百鬼，谓之仙木。《括地图》曰："桃都山有大桃树，盘屈三千里。上有金鸡，日照则鸣。下有二神，一名郁，一名垒，并执苇索，以伺不祥之鬼，得则杀之。"即无神荼之名。应邵《风俗通》曰："《黄帝书》称：'上古之时，有神荼、郁垒兄弟二人，住度朔山上桃树下，简百鬼。鬼妄擂人，援以苇索，执以食虎。'于是县官以腊除夕饰桃人，垂苇索，画虎于门，效前事也。"

于是长幼悉正衣冠，以次拜贺。进椒柏酒，饮桃汤。进屠苏酒、胶牙饧。下五辛盘，进敷于散，服却鬼丸。各进一鸡子。凡必饮酒次第，从小起。梁有天下，不食荤，荆自此不复食鸡子，以从常则。

按《四民月令》云："过腊一日，谓之小岁，拜贺君亲，进椒酒，从小起。""椒是玉衡星精，服之令人身轻能老，柏是仙药。"成公子安《椒华铭》曰："肇惟岁首，月正元日，厥味惟珍，蠲除百疾。"是知小岁则用之，汉朝元正则行之。

《典术》云："桃者五行之精，厌伏邪气，制百鬼也。"

董勋云："俗有岁首酌椒酒而饮之，以椒性芬香，又堪为药，故此日采椒花以贡尊者饮之，亦一时之礼也。"又晋海西令问勋曰："俗人正日饮酒，先饮小者何也？"勋曰："俗云小者得岁，先酒贺之；老者失岁，故后饮酒。"

周处《风土记》曰:"元日造五辛盘。正月元日,五薰炼形。"注:"五辛,所以发五藏之气。"即大蒜、小蒜、韭菜、芸薹、胡荽是也。

《庄子》所谓春正月饮酒、茹葱,以通五藏也。《食医心镜》曰:"食五辛以辟厉气。"敷于散出葛洪《炼化篇》。方用柏子仁、麻仁、细辛、干姜、附子等分为散,井华水服之。又《天医方序》云:"江夏刘次卿见鬼。以正旦至市,见一书生入市,众鬼悉避。刘问书生曰:'子有何术,以至于此?'书生言:'我本无术。出之日,家师以一丸药绛囊裹之,令以系臂,防恶气耳。'于是刘就书生借此药,至所见诸鬼处,诸鬼悉走。"所以世俗行之。其方用武都雄黄丹散二两,蜡和,令调如弹丸。正月旦,令男左女右带之。

周处《风土记》曰:"正旦,当吞生鸡子一枚,谓之炼形。"胶牙者,盖以使其牢固不动,取胶固之义。今北人亦如之。

去冬节一百五日,即有疾风甚雨,谓之寒食。禁火三日,造饧、大麦粥。

按据《历》合在清明前二日,亦有去冬至一百六日者。介子推三月五日为火所焚,国人哀之,每岁春暮,为不举火,谓之"禁烟",犯之则雨雹伤田。

陆翙《邺中记》曰:"寒食三日,为醴酪,又煮糯米及麦为酪,捣杏仁煮作粥。"《玉烛宝典》曰:"今人悉为大麦粥,研杏仁为酪,引饧沃之。"孙楚《祭子推文》云:"黍饭一盘,醴酪二盂,清泉甘水,充君之厨。"今寒食有杏酪、麦粥,即其事也。旧俗以介推焚骸,有龙忌之禁,至其月,咸言神灵不乐举火。后汉周举为并州刺史,移书于介推庙,云:"春中食寒一月,老小不堪。今则三日而已。"谓冬至后一百四日、一百五日、一百六日也。《琴操》曰:"晋文公与介子绥俱亡,子绥割股以啖文公。文公复国,子绥独无所得,子绥作《龙蛇之歌》而隐。文公求之,不肯出,乃燔左右木,子绥抱木而死。文公哀之,令人五月五日不得举火。"又,周举移书及魏武《明罚令》、陆翙《邺中记》并云寒食断火,起于子推。《琴操》所云子绥即推也。又,云"五月五日"与今有异,皆因流俗所传。据《左传》及《史记》,并无介推被焚之事。

《周礼·司烜氏》:"仲春以木铎修火禁于国中。"注曰:"为季春将出火也。"今寒食准节气是仲春之末。清明是三月之初,然则禁火盖周之旧制也。

五月五日,谓之浴兰节。四民并踏百草。今人又有斗百草之戏。采艾以为人,悬门户上,以禳毒气。以菖蒲或镂或屑,以泛酒。

按《大戴礼》曰:"五月五日,蓄兰为沐浴。"《楚辞》曰:"浴兰汤兮沐芳华。"今谓之浴兰节,又谓之端午。踏百草,即今人有斗百草之戏也。宗则字文度,常以五月五日鸡未鸣时采艾,见似人处,揽而取之,用灸有验。《师旷占》曰:"岁多病,则病草先生。"艾是也。今人以艾为虎形,或翦彩为小虎,粘艾叶以戴之。

是日竞渡,采杂药。

按五月五日竞渡,俗为屈原投汨罗日,伤其死所,故命舟楫以拯之。舸舟取其轻利,谓之"飞凫",一自以为"水车",一自以为"水马"。州将及土人悉临水而观之。盖越人以舟为车,以楫为马也。邯郸淳《曹娥碑》云:"五月五日,时迎伍君。逆涛而上,为水所淹。"斯又东吴之俗,事在子胥,不关屈平也。《越地传》云,起于越王勾践,不可详矣。是日竞采杂药。《夏小正》云:"此日蓄药,以蠲除毒气。"